道德叢書之十二

命相真諦

王震署

修身立命
命相靡定
君平賣卜
術者口德

修心補相
全憑心理
依卦設教
社教所寄

命相眞諦目錄

道德叢書之十二

江蘇海門陳鏡伊編

緒論

口德相士　依卦教人

遷善篇

一　致貴類

種鬚改相　救人　生鬚改相　救溺

貸鬚改相　救嬰　相忽異矣　厚道

相忽變易　好施　頓然變相　還金

形神頓異　還金
骨相忽全　勸教
一夕變相　拒色
面貌大改　拒色
相者大驚　還金
滿面陰德　讓[illegible]
陰功滿面　放生
寒相大魁　孝友
撫幼大魁
同命異祿
命相靡定

二　延壽類

修身立命
延壽一紀　拒色
增壽一紀
壽延二紀　七則
壽延三紀　二則
加壽廿年　修路
天賜期頤　清道
天曹添壽　修德

壽已延矣
壽可延矣 放生
夭者期頤 二則
趙竟無恙 戒殺
命不限人 助賑
陰功回天 全人夫婦
君壽延矣 厚道
親壽百歲 放生
至期無恙 二則
難關安度 放生
五臟立變 救人

三 免災愈疾類

修德禳災
獨免瘟疫 二則
飄溺不死 好義
專保三家
大難不死
獨免淹沒 周濟
獨免火災
福神相救

特免雷誅
難星無恙　忍耐
死而復甦　善人
病忽自愈　放生
後至免溺　拒色
少羸老壯　敬

四　得嗣類

種子奇方
連舉五子　周濟
連生五子　放生
連舉四子　放生
連舉三子　造橋
連生二子　厚道
孿生二子　全人身分
雙生二子　救荒
特賜兩子　全婚
神賜一子　全婚
天錫貴子　二則
天遣神童　放生
天賜爾子　還女
後生貴子　還女

天錫一子　好施
未幾得子　放生
後即舉子　厚道
忽生一男　救生
果生一子　勸善
後果生子　救冤
特賜男女
晚年得子　行善
未幾生子　放生
未幾妻孕　厚道
忽舉一子　行善
遂舉一男　全人
果復生子　放生
無子忽有　尚義
神送嬰兒　周濟

五　致富類

遂成富室　二則
俱饒衣食　誠實
因以致富　除道
遂致大富　放生

鋤地得金　放生

改過篇

一　復名類

神燈復明　補過
復中鄉榜　補過
次科仍中　懼悔
後復登第　悔改
後仍中式　警懼
復占天榜　戒淫
復官學士　痛悔
改隨善神　改悔
改導善神　立改

二　失子復得類

賢子復生　悔過
連得六子

連舉三子 戒色
乃生一子 悔過
後舉二子 痛改
即舉一子 醒悟

三 愈疾免災類

不藥而愈 自新
曲腿忽起 感悟
子疾漸愈 改惕
聾啞俱痊 除道
災星離去 改善
病愈體健 戒殺
危疾遂痊 悔過
痼疾遂愈 省悟
死罪善終 忽悔

四 變惡篇

骨格大變 作惡
相已改矣 薄妻
氣色敗矣 誘賭
撥鼻損相 犯色

天榜除名　犯色　　仙謫地獄　奸險
削盡祿籍　侮師　　削奪無餘　犯惡
官階削盡　無行　　官位削盡
削其祿秩　受有　　削其相位　受賄
不得封侯　殺降　　祿不符相　濫殺
盡奪其算　作惡　　壽數減盡　譖誣
奪算盡矣　姦貪　　天譴失子　矯情

五　定數篇

財數註定　四則　　財物有主　二則
財難強求　四則　　享用有定
鬼弄貪商　　邪財不富

冒祿不享
功名註定 二則
攘名難享
名難強求 三則

附堪輿類

不泥忌諱 二則
神示佳穴
佳穴不享 二則
神奪佳穴

命相眞諦

道德叢書之十二

江蘇海門陳鏡伊編

緒論

昔嚴君平賣卜。與子言。依于孝。與臣言。依于忠。舉弟言。依于悌。而風俗爲之丕變。善哉。星相家。亦足以補助社會教育之所不及也。誠能利用人民迷信星相之心理。導之以爲善。戒之以改過。警之以作惡。吾知其感人之深。收効之宏。有非嚴父之訓。良師之教。所可同日而語者也。茲故檢取古人命相之變佳改損者。類而別之。編遷善。改過。變惡。定數四篇。希望閱者知所戒勉。尤希望星相家。據以作勸導之資料。遇命相劣者。以昔人修德變佳者。激之。遇命相佳者以昔人爲惡改損者懼之乏嗣者以陰隲得嗣之往事勉之被災者以積善禳災之往事慰之求名者以失名得名之往事勗之誠如是星相家之造福社會其功豈在教育家下哉

口德相士

孫永江西人善風鑑通易數時御史田公在籍閒居宅左別業有孤作崇久無居人御史躬親禳祝不應一日延永占數天晚寢其下令家人夜覘之但聞樓上私語曰「口德相士神明所祐今在此不可犯」御史次日不言其故令永移眷寓內又聞私語曰「口德相士長住在此我輩宜遠避」遂相與散去御史徐叩其故永尋思移時曰「吾習此術見人貌應窮夭者勸其積善格天運値敗惡者勸其散財造福多有從予之說轉禍爲福者三十年如

一日。毋亦即此邪。』御史憬然曰：『公小術。留心勸人。能格異類。若輩固敬。德不敬爵也。吾滋愧矣。』遂代永二子納監。後俱領鄉薦。出仕。永享年八十卒。

依卦教人

漢嚴君平卜筮於成都市。日閱數人。每依卦辭。教人以信義忠孝。日得百錢。足以自養。則閉肆下簾。而讀老子。楊雄少從之學。曰：『其風聲。足以激貪勵俗。亦近古之逸民也。』蜀人羅冲爲具車馬衣糧。勸之仕。君平曰：『我有餘。君不足。奈何以不足奉有餘。』冲曰：『吾家萬金。子無儋石之儲。何謂有餘。』曰：『吾嘗宿子家。見子晝夜汲汲。未嘗有足。今我賣卜。不下牀而錢至。尚餘數百。塵埃厚寸。不知所用。明我有餘。而子不足也。』嘗歎曰：『益我貨者損我神。生我名者殺我身。』益州牧李强召爲從事。不就。年九十餘始卒。

遷善篇

一 致貴類

種鬚改相 救人

盧陵周必大監臨安府和劑局。局失火。五十餘人械繫當死。公問吏曰：「若火起自官。得何罪。」吏曰：「除籍爲民。」公遂自誣服。五十餘人俱得免。公坐失官。歸道謁婦翁。門外雪交下。童子掃於庭。前夕婦翁夢掃雪迎宰相。及必大歸。乃嘆曰：「今掃雪乃迎失官子也。」公既歸。刻苦讀書。應宏詞科。至京師。寓一班直家。一日主人攜小册自外至。借觀。則鹵簿圖也。悉錄其說。入試。適命此題。中詞科。歷官宰相。封益國公。先是公夢入冥。見判官考。一捻胎鬼指公曰：「此人有陰德。當爲宰相。但貌陋奈何。」鬼請爲作宰相鬚。判首肯。鬼起摩公頰。爲種鬚。及覺。鬚果生。猶隱隱痛。數日始定。後罷相家居。一相士來謁。邂逅於門。相者問相公何在。公進揖之曰：「某前此待罪宰相。」相者曰：「誑我也。」入坐。復請見宰相。公答如初。相者起持公鬚曰：「只此一座帝王鬚。眞宰相也。」公大驚。厚贈之。一捐雞肋。便攀鳳翼。變幻無常如此。

生鬚改相　救溺

諸宗弼嘗以賦役渡錢塘江。見溺者。竭力救之。全活頗多。夜夢神告曰：「汝命當夭。上帝以汝有陰德。與汝長壽矣。不信以出髭爲驗。」一覺則頷癢甚。晨興美髯勃生。壽果至九十餘。

貸鬚改相

救嬰

甯波袁道濟家貧。不赴秋試。或勸之行。贈以三金。時歲値歉收。路遇一棄嬰。啼饑將斃。袁惻然。卽以三金託腐店夫婦撫之。至省。同鄉友憎其貧不納。一舊識僧勉强留寓。是夜。僧夢各府城隍齊集。以鄉試册進文帝。內有削除者。尚須查補。甯波城隍稟曰。「袁某救嬰心切。可中。」帝命召至。見其寒陋。曰：「此子貌寢奈何。」城隍曰：「可以判官鬚貸之。」僧寤。駭甚。及告袁。與袁夢正合。榜發果中式。

相忽異矣

厚道

徐昂赴春試。京中有王相士多奇中。徐往質之。王曰：「君相乏嗣。

奈何。」及登第。爲西安郡守。途間納一姬。頗妍麗。徐訊其姓氏。答曰：「予父某作某官。喪於某年。向以饑歲。爲强暴掠售於此。」徐深憫之。即焚券。不令爲妾。及之任。具奩貲。擇善士嫁之。秩滿如京。王見之駭曰：「君相異矣。子星滿容。詎非陰德所致乎。」未幾連育五子。

相忽變易

好施

汪天與嘗遇異人相曰：「君貌類羅漢。乏嗣。壽亦不永。」由是輕財好施。一日客清江。主婦少麗。私就焉。汪閉門不納。婦曰：「君數游妓家。何獨拒我。」汪曰：「不然。彼烟花賤質。人盡夫也。汝良家婦。豈可壞汝名節哉。」婦慙去。次年復遇前相者曰：「君有何陰功。相忽變易。當生貴子。壽至八十餘。」後生子成進士。猶及見焉。

頓然變相　還金

王君年三十無子。客濟寧遇相者曰：「君貌似羅漢。乏嗣壽亦不永」。公恬然不怪。嘗寓清江浦。夜宿有婦人叩門。閉門不納。婦慚而去。又還一人遺金。與二弟分產。自取瘠薄。後復至濟寧遇前相者。訝曰：「君非吾向所謂羅漢者。何頓變耶。必有陰功。當生貴肩。且高壽」。公亦恬然不答。後果生三子。幼子舉孝廉。孫曾繞膝。年九十有一。步履如壯年。

上兩則。情節相類。事實略異。兩存之。

形神頓異　還金

袁柳庄精相術。偶訪一契友。見童子侍側。勸其主遺之。云：「此童子目下有奇禍。將不利于主」。主素信袁術。遂遣之。童子泣別宿古廟中見牆角內藏百金始欲取之忽念命薄故至此奈何取此不義之物因收而待之有一婦泣至曰『夫爲官軍犯罪應死假貸百金送某指揮過廟偶憩不覺遺忘二命俱絕矣』童子遂還之婦分謝一半童子不受指揮聞而異之召語大悅收爲養子數年後竟襲世爵入京謁故主具道去後事主不勝歎異曰「柳庄術亦有悞耶」少頃報袁公至使童子衣故衣捧茶而出袁一見驚曰『此非舊日所見之童子耶形神頓異乃三品武官也作何陰德至是乎』具道其故友益服其神

骨相忽全

勸教

昔有一士訪神相以科名相士曰『君骨相寒苦其必大積陰德而後可』一士念貧士無以濟人惟留心教道勸於講論專切誠心

以期無悞人子弟後復遇相士謂之曰：「君骨相全矣」即中式。

一夕變相 拒色

宋徐性善與友楊宏同赴試遇一高僧相云「楊當登樞要徐則吾不知也」是晚楊欲近一邪色徐力阻之次日高僧復至見徐大驚曰「一夕之間何變易之速君滿面皆陰德氣二公皆應大顯」及試果同登進士。

面貌大改 拒色

蕭山毛奇齡未遇時遊靖江遇海昌范文園素精相術毛以終身問范許以青衿終老毛怏怏歸寓有馮氏女慕其才名私就之毛不允嚴拒焉後復見范范大驚曰「兄面貌大改觀當奇遇」後應康熙己未試官翰林院檢討。

相者大驚 還金

唐裴度屢黜場屋。相者曰：『公形神稍異。若不貴。必餓死。』公遊香山寺。見一婦置繪袱於欄杆上。祈伏良久。不取而去。公知其忘。候之良久。其婦果來。問之。曰：『父以罪被繫。昨懇人得玉帶一。犀帶一。以贖父罪。不幸失去。禍無所逃矣。』公還之。後相者見之。大驚曰：『公陰德及物。前程萬里。非吾所知也。』度果拜相。封公。五子皆貴。

滿面陰德 讓產

張士選幼寄養於叔。叔有七子。一日叔謂選曰：『吾與汝析箸產分爲二。』選曰：『不忍諸兄弟止共一分。可分爲八。』彼此固讓。卒如選言。選年十七。預薦入京。一術士謂之曰：『此少年乃有滿面陰德必登高第』及揭榜果然。推多取少。不獨兄弟。世人皆宜然。不獨財產。凡事皆宜然。

陰功滿面　放生

徐中行弱冠登鄉薦。遇異僧相之曰：「公終身舉人知縣耳。」徐不願爲舉人。官。僧曰：「惟陰德可挽回定數。但亦要機會。獨放生隨處可以盡力。必極多爲貴。」徐從之。然貧甚。經歲所放無幾。越九年。復遇此僧相之曰：「未也。」一日有以三十金求文者。徐扁舟泛太湖。買放水族。不十日。三十金盡。後僧一見驚訝曰：「公何遽陰功滿面乎。明年必第矣。」遂登進士。仕至方伯。

寒相大魁　孝友

昔福建梁恭辰先生言：「蘇州吳崧甫先生。余與仲兄同受業師也。仲兄與師隔屋。余則晨夕筆硯相親者二年有餘。見其器度渾厚。絕無疾言遽色。聚談時亦間有戲謔。而未嘗不軌於正。生平無他好。惟喜聚書。至借貸以購。居常則手鈔弗輟。師本壬午舉人。己丑會試得謄錄。自云如不中進士。將來由此途去矣。有相士者。余兄弟私叩之。云「貴師學問甚好。而外貌不揚。或可得教官耳」。辛卯冬。師將計偕北上。遂辭館出。家大人貲其行。無何。師之兄於歲杪物故。家無餘財。又逼歲暮。幾至不能成禮。遂盡出行貲以斂之。而索屋租者旋至。窘迫困苦之境。無以自存。余兄弟在署不知也。新正。師入署。顏色慘沮。余兄弟驚疑。詢悉其故。師泫然曰：「計偕已無望。而館地又已辭。斷生計將絕。可若何」。余亦怏然。時先母鄭夫人歲暮略有所賜。俗所謂壓歲錢也。余兄弟議以此再助之。

而同受業者尚有余姑夫邱藜頻林慶祐兩君聞之亦欣然樂從集成銀一百圓因此得行四月廿九日遂得吾師大魁之報其事遽聞於外吳中以爲美談余謂由困而亨理固宜然未有如師之捷如影響者脫使靳其所有不以歛兄雖得行未必捷雖得捷未必元也』

撫幼得魁

明天順間山西絳州庠生馬世奇與王得輝爲友王富馬貧王忽爲仇家所誣死于獄家財覆沒僅存一子甫一週馬憐之乃殫力維持相延二十載一晚夢神曰『汝不應貴緣有撫幼之功當魁多士』明年鄉試果中第一

同命異祿（一）

豫章高孝標孝積兄弟二人。其母坐蓐時。駢肩而下。相貌舉止如一。莫辨兄弟。甫弱冠。同入泮。學使者以府縣庠分兄弟。暨完娶逾年同月生子。再試。又同補餼。壯歲同赴省試。寓有孀婦。挑其兄。兄正色拒之。復戒弟勿爲損德事。弟佯諾。私與婦通。婦不知其爲弟也。及放榜。兄入彀。弟下第矣。復誑婦曰。「我已中待發甲後娶汝。」因以資斧爲言。婦傾囊與之。及春。兄又登第。婦朝夕望娶。竟無音信。鬱鬱成疾。陰以書貽。遂殂。書誤入兄手。兄詰弟。弟俛首輸情。次年弟所舉子暴殤。而兄子無恙。慟哭不已。雙目頓盲。未幾亦死。兄則享福壽。多子孫。稱全祉焉。

命同相同。前三十年事事皆同。命相有據也。一旦存心不同。一榮盛且多嗣。一盲殀且斬後。命相亦何據耶。語云。相從心生。命由心

造有以哉

命相靡定

皖休寧程學聖中年後爲冥府判官言事不爽其師洪甲素與潘靈公祝石林善潘祝皆積學不第洪以之問學聖居一二日告洪曰「潘公中癸未榜祝尚未」癸未潘果中洪又令爲祝稽之學聖對曰「天榜未定」至戊子十月又命之學聖曰「已丑榜有名雖然尚有挪移揭曉乃定蓋冥中論人善惡不止月旦評平生爲善忽有一念之惡神卽惡其穢平生爲不善能猛省痛改神卽鑒知其聲至科第雖其祖父善惡皆比較去取故吾能知祝公有分而不知所定也」祝至己丑果第益知功名一節生來已有定分臨期尚無定局彼營求者心既不端徒勞何益

二　延壽類

修身立命

明劉大司寇存心仁恕。用法平允。從無苛刻。所生六子。夭殤其五。俱年不滿二十。其第六子璟巳十七歲矣。雖聰慧倜儻而單弱多病。不異諸兄。有蜀中相士周士漣挾術遊京師。名震一時。公使觀璟相。曰：「此子但求得壽。不必言富貴也。」周細看半晌。答曰：「論公子貴格難度十九歲之關。但修身立命。聖賢垂訓。決無虛謬。惟力行太上感應篇。可以挽回造化。舍此則非術士所能知也。」璟雖年少。頗能自勉。卽對天發願。將感應篇逐條錄出。善者粘於東壁。每行一善。則加一紅圈。惡者粘於西壁。每除一惡。卽加一黑圈。行之三年。已過十九歲。而竟無恙。一日渡揚子江。見漁人網一大龜。璟命從人。給錢一千。買回放生。龜昂首。隨舟送至五里。猶戀戀有不捨狀。璟謂之曰：『予前途即登岸矣。已知爾之厚意。不必遠送』。龜於水面點首。悠然而逝。是夜璟宿旅邸。夢一皂衣短胖道士。向之稽首曰：『公子力行感應篇。三年不倦。上帝克嘉。已增祿延年矣。但體柔神薄。難保寒暑不侵。貧道有小術相授。照此調攝。可保安身無病。』乃傳以吐納導引之法。傳畢別去。璟醒。知係神龜報德。依其所授。如法用功。甫期年。即百病消除。召前相士備禮謝之。是夜周與璟。聯床而寢。見璟已睡熟。並無微息。捫之如死人。次早向司寇公賀曰：『公子龜息也。壽元極永。富貴甚長。公從今。不。必。憂。矣。』後璟享壽九十八歲。五福全臻。

延壽一紀　拒色

宋黃靖國為儀州判官。一夕被攝至冥。冥官謂曰：『卿在儀州。有一美事。曾知之乎。』命吏取簿視之。乃醫生聶從志某年某月某日在華亭楊宅行醫。楊妻李氏淫奔從志。從志力辭不可。上帝敕從志延壽一紀。子孫三世登科。後靖國語從志。從志駭曰：『此事妻子未嘗與語。不意已書陰籍。』後果如靖國所述。子孫三世俱昌。

增壽一紀

范標浙人。老於幕。凡事必依理法而行。每賓主意見不合。輒辭去。六旬幕遊陝西清澗縣。時有富宦打死佃戶。宦賂清澗令八百金。令標二百。囑令講息完事。標曰：『死者之寃不伸。打不過自心。』令意不決標大聲曰「我賓主受千金饒其罪恐閻王不愛千金饒我賓主罪也」令悚然曰「我心亦打不過去」卻其金問宦抵償標夢神諭曰「汝壽止六十有五因卻金伸冤增壽一紀後果七十七無疾卒

壽延二紀（一）救溺

吳楓山在吳興偶遇大火延燒數十家吳出金覓人救滅且虔禱于天火乃滅夜夢神語云「汝曾大出金帛救人溺水今又誠心救火當令汝子孫貴顯壽延二紀」

壽延二紀（二）全婚

維揚陳某少時與同里三人結爲異姓兄弟陳居長居二者有一女與居三之子訂婚陳爲媒後居三者死其子貧不能娶居二者

欲悔婚。陳勸止之。一日往城。遇已死之友謂曰：「我在冥司爲勾攝隸。昨奉牌子名在焉。速歸料理。吾兩日後卽至矣。」陳念生平未了事。無如居三之子婚姻。急歸請兩媒人來謂居二者曰：「汝所以難婚者。以其貧也。今剖吾產二分與之。汝女可歸矣。」立剖己田當面授之。卽命在其家合巹。曰：「吾了此事。死得瞑目矣。」越三日。復見前隸至。陳曰：「行乎」隸曰：「不然上帝以君破產全婚。特延壽二紀。」後果然。此清順治己亥年事也。

壽延二紀

（三）雪誣

葉知遠爲嵐谷令。其子私受巨室財。謀入人罪。知遠初被子欺。已申上司題奏。株連者十數家。後察其誣。力爲辨雪。幷其子申於朝。數十家得免。競禱於城隍司。祈賢令蚤生貴子。夜卽夢神曰：「公

壽限當終今特奏聞上帝許延二紀且得二鳳雛也」是年妻妾俱生子後皆登第

壽延二紀（四）清道

新安盧世澤立心仁厚見道上瓦石碎碗磚塊必除去曰「老幼病瞽月黑夜暗遇之何堪」年六十七病卒至冥司見一紫袍者曰「此人舉步心存方便當延壽二紀」并命析桂花二枝授之曰「此汝除瓦石之報也」醒更益相勸勉壽九十有一二子同登甲第（由剪除之事廣之。則田間有礙路之深草。水濱有未爛之木樁。河邊有壞舟之大石。港內有捕魚張蟹之斷簾。必多方設法。盡除其害。）

壽延二紀（五）放生

荊南俞一郎專好放生後病死入冥見前路多有禽獸迎接引至殿上王者命判官檢簿有何善業判稟云「此人有贖救物命之

功應增壽二紀』王遂敕青衣引歸因得復生。

壽延二紀（六）勸善

柳元程患瘵疾持病書心命歌一千本散施忽夢朱衣人同一老人至曰『我司命也上帝以汝寫心命歌勸人囘心者衆憐汝有惡疾特命天醫醫汝汝之壽本四十今再延一紀』言訖而去於是服藥頓瘳後果六十四歲而卒。

壽延三紀（一）修德

宋竇禹鈞燕山人也先爲五代時諫議年三十無子夢其父曰『汝宜早修實行緣汝無子又無壽耳』禹鈞唯唯鈞爲人素稱長者先有家僮盜用錢二百千慮事覺有女年十二三自寫券繫女臂云『永賣此女於本宅償所負錢』自是遠遁鈞見而憐之卽

焚券。囑其妻善撫之。及笄爲之擇良配。使得所歸。復贈錢二百千。其僕聞之感泣。還而謝罪。又於元夕在延慶寺得遺金二錠銀數十兩。持歸。明旦至寺候失主還之。其人得以贖父罪。又同宗外姻有喪不能舉者。出錢葬之。凡二十有七。有女貧不能嫁者出錢嫁之。凡二十有八。故舊相知有窘困者。隨多寡貸之。使之貿易由公活者數十家。四方賢士賴公薦舉者不可勝數。又於宅南建書院數十間。聚書千卷。禮文行之儒爲師。凡四方寒士但有志於學者。不問識與不識。皆供給之。公每歲量所入。除伏臘供用外。皆以濟人。家惟儉素。無金玉之飾。無衣帛之妾。後復夢其祖父謂曰「汝數年來積累陰德。已名註天曹矣。上帝特延壽三紀。五子貴顯」後果有五子八孫。皆登顯秩。公享壽八十有二。

壽延三記（二）

濟渡

蜀人徐宗仁鄉有兩石橋夾江水勢湍急渡者溺死甚多蓋因船小石觸之即碎故也宗仁乃造巨舟兩頭裹以鐵葉命僕撐渡忽有道人叩門曰：「公壽止四十三今有陰德可延」徐又夢至一府見濕衣鬼三四百執卷王前言徐宗仁濟生拯死功德莫大乞與夫婦壽考王呼左右以卷示曰：「汝陽數當盡因造船功大今延壽三紀」及覺益樂善好施果逾三紀而終

加壽廿年

修路

呂琪春日郊行遇故人已死者出牌示曰：「我死充冥府役昨奉差提七十二人子名在焉念生前友善不忍相逼君速歸料理候我各處提完一月即至矣」言訖不見琪歸急語其子曰：「我生

平有三事未了。某五喪未舉。一也。某女二十未嫁。二也。某路傾圮未修。三也』急出貲命子畢此三事。既而治棺待死。竟無恙。諸子以爲妄。至除夕。復夢前卒謂曰：『向來提君。行至中途。忽有免提牌至。言君陽世有三善。單釋君一人。更加二十年壽矣』後果然

天賜期頤　清道

永嘉徐文。自幼好行方便。每見途次瓦片甎塊。必除去。遇五穀在道。即拾置潔處。如此四十餘年。一夕夢神告曰：『爾壽本促。以念切利人。上帝錫爾期頤』後至九十有九。無疾而逝

天曹添壽　修德

越諸生韓宏儒。年四十八。除夕。妻金氏夢亡姑語曰：『吾子明年重九。大限難過』金恐傷夫意。秘而不言。惟虔禱祈夫延齡而已。

韓新春赴館。主婦即其表姨姑也。進謁。見老婢數人。從容語曰：『婢大須嫁。使彼得偶。祝吾姨福壽無疆。』姨從之。一月內。俱婚配焉。寒食前。假館歸。訪一宦裔。見几上有新傾銀。艴然正色曰：『兄生長富貴家。正宜輕財樹德。奈何貪此小利。爲刻薄事。且此銀兄意欲九成。而銀匠暗爲侵漁。使者又從中取利。極好僅得八五。小戶將銀市物。極公平。僅算八成。兄得益甚微。受損甚大。在人祇損利。在兄則損德。算來損於兄者更大。』一宦裔感悟。誓不復用。端午館歸。途次見一宦僕。手持錦袍。講息人命。百般把持。忽一語不合。急趨出。僻巷碎裂錦袍。韓知其以是激怒主人也。隨往謁其主。撫膺流涕。詳述其事。宦素聞其剛直。遂責僕而遣之。七夕前。主人宴師。座有鄉紳。頗負清正。言某親冒勢爭產某族冒勢興訟。各批一揭與被害人到官俱受杖責座客各皆讚美韓微哂曰「禁止冒勢固盛德事然親戚情誼亦不可傷何如溫言受稟詳訊曲直在親族則理諭進稟者使知屈服曲在親族則理諭借勢者急爲講解如是乃不造孽於疏遠亦不結怨於親族庶兩得其平鄉紳斂容稱善生徒有中式者來謁諭曰：「賢契已進一階宜益修身積德切勿驕矜肆志以遺薄福之譏切勿輕言納寵以傷糟糠之情切勿疎遠故舊以致窮交之恨切勿多收僕從以起生事之非切勿過爲奢侈以開妄取之戾」士唯唯受教是夜金氏夢神告：曰「上帝嘉爾夫五次良言造福廣大命天曹添註其壽矣」韓歸妻述以前後所夢益爲修德常以勸戒爲心後發解仕至司成

壽已延矣

程夷伯年二十九。一夕夢其父謂曰：「汝今年當死。可求覺海救之。」夷伯醒而惘然。一日遇見一蜀僧善相術。叩其字號覺海。問及壽算。曰：「君年甚促。恐不能至明歲矣。」夷伯固懇之。乃覓水一杯。呵氣入其中。令夷伯飲。且曰：「今夜若有吉夢。可即報我。」是夜夢至一官府。左廊下所立男子女人。皆衣冠整肅。有喜悅狀。右廊所立。皆枷鎖縲絏之人。哀號涕泗。旁一人云：「左廊是修建橋路人。右廊是毀壞橋路人。若要福壽。自可擇取。」夷伯遂發心修補橋梁道路。不遺餘力。後復見覺海。曰：「壽已延矣。」後夷伯年九十二。子孫五世昌盛。【按】造橋與拆橋。明明兩種人。善報與惡報。明明兩條路。若說因果虛。必定遭奇禍。

君壽延矣

厚道

劉宏敬家富。施人不望報。有善相者曰：「更三年。子大限到矣。」弘敬爲身後計。將嫁女。得一婢。名蘭蓀。風骨不類賤流。詰之。久乃曰：「某爲名家。父官淮西。遭吳寇跋扈。緣姓與寇同。疑爲近屬。骨肉俘掠。不可復知。賤妾一身。再易其主矣。」宏敬曰：「汝衣冠之女。抱怨如此。」乃收爲甥。以家財五百緡。先其女嫁之。夜夢一綠衣懷簡者曰：「予蘭蓀父也。感君厚恩。知君壽恨。將盡已力。請于帝。許延二十五年。富及三代矣。」後相者迎而賀曰：「君壽延矣。」是有陰德。動于天者。

壽可延矣　放生

楊序夢神告以逾旬當死。若救活億萬生命。庶可免。序曰：「大期已迫。物命有限。奈何。」神曰：「盡放有子魚。并放魚子。」序竭力買放。仍大書神語於通衢。由是人皆知放魚子。月餘復夢神曰：「壽可延矣」後年至七十四。

親壽百歲　放生

吳隱名性至孝。每晨必誦孝經及佛經神訓。為親祈壽。一日讀書見楊序事喜曰：「已壽可延。親壽亦必可延也」因梓其事廣布之。又買有子魚放生。親壽果登百歲。

夭者期頤（一）　放生

張從善年十五。有相者謂其壽止十八。一日攜活魚。指為所刺痛甚。因念一指之傷。痛楚如是。彼羣魚剔腮剖腹斷尾刮鱗。其痛可知。特不能言耳。遂盡放之。自是不復傷一物。壽至九十八。

夭者期頤（二）　放生

蕭震少時夢神告以壽止十八至十七歲父帥蜀不欲從詰之以夢告父以茫昧强之至蜀蜀以主帥履任大宴震偶至庖見繫牛者叩其所以庖人曰「酒行三例進玉筋羹法取牸牛烙鐵鑽乳而出之乳凝箸上以爲饌」亟走白父索免食牌判永禁免此味以後舉足動步凡事俱行方便後夢復神告曰「汝有陰騭不但免夭可望期頤」後果壽至九十餘

至期無恙 (一)放生

金華富民蔡某夜夢青衣二人告以明年某日當死夢醒甚恐因自思曰「家貲雖厚死時分毫不能帶去不如舉以作福放生」次日遂遍召諸欠債者至庭約有千餘金悉焚其券由是每日買物放生不論物之大小隨所見聞買放並無虛日至期無恙

至期無恙（二）放生

一比邱得六神通與沙彌同處定中見其七日當死因遣省親諭以八日再來蓋欲其死於家也至八日沙彌果來比邱復入定察之乃知沙彌於歸路時見流水將入蟻穴急脫袈裟擁住以是因緣壽至八十後成羅漢

經云人不殺得長壽報觀於沙彌而益信

趙竟無恙 戒殺

華亭趙素至青浦見亡僕立舟上驚問之曰『見役冥司今追取三人耳一湖廣人一卽所探之親』餘不答疑已當之至所親室已聞哭聲趙急還復遇亡僕曰『君且無恐至夜吾不至則免矣』趙問故答於路見有爲君解者以合門戒殺故及夜果不至趙

竟無恙。

難關安度　放生

明太祖時袁柳莊善相術。一朝士抱幼子求相。袁曰：「此子十六歲恐難過」。朝士憂甚。後遇一道者言其故。道者曰：「惟有大陰德可挽定數。然陰德須機會。莫如放生。隨處可爲」。朝士放生數年。凡有益于生靈者。無不捐貲廣布。所全物命不可勝計。後其子十六歲安然無恙。

道士之言。與徐中行放生變相一則。相同。

命不限人　助賑

徽商汪宇亭算命者言伊祇有四十五歲之壽。無子。丙子歲饑。捐粥米一百六十石。後年七十餘。尚健。生四子七孫。

五臟立變　救人

名醫周月窗有僕名德染病周診其脈將死因多與金遺歸見父母德至揚州見有賣妻償官債者哭甚哀問之答曰「我俟妻去亦投水死」德惻然即以所贈金與之空手歸家久而不死復返見周醫周驚曰「汝尚在耶」再診其脈平和有壽問其故德言前事周曰「汝陰德動天五臟立變吾術不能知也」

陰功回天　全人夫婦

元蘇允明有善相者曰「壽不過三九」每怏怏爲一日見有夫婦相持而慟者蓋將賣妻以償人也允明因售已產貸之後復遇相士曰「異哉子似有大陰功者」允明告之相士曰「事不問大小即與乞兒一文能救旦夕之死猶足回天況全人夫婦乎」

後年九十餘。

三　免災逾疾類

修德禳災

齊有彗星。景公坐栢寢而泣。晏子問之。公曰：「寡人聞之。彗星出。所向之國君當之。今彗向吾國。是以悲。」晏子曰：「君之行固無德於國。穿陂池則欲其深以廣也。爲台榭則欲其高且大也。賦斂如刼奪。誅戮如仇讐。自臣觀之。孛之將出。庸何懼乎。」公欲使人禳之。晏子曰：「無益也。祇取誣焉。天道不諂。不二其命。若之何禳之。使神可祝而來。亦可禳而去也。百姓苦怨以萬數。君令一人禳之。安能勝衆口乎。」公欲禳災。莫如修德。

大難不死

徽商王志仁四十無子有相士謂其十月當有大難王素神其術因亟往蘇斂貲歸寓客肆晚偶散步見一婦投水王急取十金呼漁舟救之問故婦曰『夫傭工度日畜豕償租昨賣之不意皆假銀也恐夫歸見責無以聊生故謀死耳』王惻然倍價周之婦歸告其夫夫不信乃與婦同至王寓質焉王已寢矣婦叩門呼曰『投水婦來謝』王厲聲曰『汝少婦吾孤客昏夜豈宜相見』夫悚然曰『吾夫婦同在此』王乃披衣出見纔啓戶墻忽傾倒臥榻已壓碎矣夫婦感歎而別後歸家遇相者大駭曰『子滿面陰隲紋現是必曾救人命後福未可量也』後連生十一子壽九十六

獨免瘟疫

（一）放生

太湖居民皆以屠罟爲業。惟沈文寶闔門好善。見人獲禽魚。輒買放之。衆笑其迂。沈獨樂爲。後疫氣流行。其居鄰夢數鬼執旗一束。相語曰：「除放生沈家外。挨門盡插之」。未幾。一村三百餘家染疫死者過半。獨沈家無恙。

獨免瘟疫（二）　積德

明繒雲布衣。時元旦蚤起。出門遇六鬼數輩。形貌猙獰。叱問之。對曰：「我等疫鬼。歲首散疫人間耳」。雲曰：「吾家亦有乎」。鬼曰：「無」。雲曰：「何以得免」。曰：「君家三世積德。見人有惡則阻。有善則表之。子孫當顯門戶。吾輩何敢入」。言訖不見。是歲疫盛行。雲家獨無恙。

獨免淹沒　周濟

清乾隆辛巳。豫省黃河潰決。陸地水深丈餘。民間廬舍。半被淹沒。陳留縣有曹姓者。居宅沉沒已三晝夜。咸謂無生理矣。（非洪水殺人不見曹氏之奇。）（非洪水殺人。亦不見天道之奇。）及水退。牆舍並未崩塌。簷口亦安然無恙。衆問之。云『日來惟覺霧氣瀰漫。不見天日。初不知在水中也』有司見而異之。詢其有何善行。云『每年租課所入。除衣食足用外。盡以濟鄰里之貧乏者。自今未嘗少替。已歷五世百有餘年矣』（盛德動天如曹氏者。可爲千古輕財一大榜樣。）憲司俱賜匾額以嘉其異。

飄溺不死　好善

明陳揀塘家居有市賈黃臻。人性謹厚。好行善事。以救濟人。一子尙穉。常攜以自隨。揀塘雅敬之。嘉靖戊子八月。山水驟發。人畜溺死無算。揀塘方臥病。急乘桴登業師張先生樓。望廛舍如木葉下一人乘船過樓下。呼曰：「黃臻父子俱溺死矣。」張爲嘆息。揀塘獨弗之信。曰：「斯人也。萬無父子俱死理。」張曰：「顏夭跖壽。天道盡可問哉。」揀塘曰：「吾第論理之常。父子必存其一。」須臾又一人報曰：「臻尚在。其子死矣。」揀塘曰：「是或有之。」須臾又一人曰：「臻死矣。其子幸存。」揀塘曰：「是亦有之。」詰朝訪之。則父子俱無恙。自言抱竹漂三十里。絓一樹根。遂緣木而上。其子騎一梁木出沒洶濤中。遇舟援之。是以獲全。揀塘笑曰：「信哉吾言乎。」

獨免火災

北新關吏顧某奉差往江南。夜泊蘇州河邊。見一少婦投水。止而問之。則曰：「某夫因欠糧繫獄。命在旦夕。不忍見夫先死。故自盡耳』顧惻然解囊中五十金付之婦謝而去歸舟又經其地偶坐酒肆適對門卽前婦之家也婦告其夫邀歸置酒款之夫謂婦曰『活命之恩貧無以報汝其伴宿以酬之』因留顧宿夜半婦就顧寢所顧毅然拒之披衣逃歸舟中時杭城大火延燒數十家衆見火中有金甲神手執紅旗招展圍繞一宅火至輒回火止視之乃顧某家也顧歸慰問者踵至詢其有何德而能回天如此顧惘然固問之因舉上事以對衆屈指計之與起火之期適合皆以爲陰德所轉移也

專保三家

興化某世德之家也因失珠環婢懼逃匿廟內夜聞二神相語曰『興化城將破奈何』曰『天數也我來此專欲保全三家一忠

臣魏益公不要錢。不要官。不要命。一孝子闕疑每養親不寐。親病不寐居喪不寐。一世德某人造橋功大放生功大布施功大』後城破惟三家保全餘皆不免我願天下人學此三家消除萬劫　此嘉靖壬戌年間事

福神相救

宋仁宗時。妖人王則反文彥博奉詔討賊。一日陞帳議事妖人用術飛一大石當頂壓下忽背後有人抱離數步祇將所坐椅打碎彥博謝之其人曰：『吾福神也因公忠直故來相救』言訖不見公後享上壽位極人臣子孫榮盛百福咸備

特免雷誅

支祖宜之妻喻氏年二十五事姑孝事夫順。一夕夢神告曰：『汝前身乃比鄰牟容之妻也年三十染病汝姑七十餘歲日煮粥供

汝。汝病口苦屢叱之及臨死對姑呼天曰：「爾老不死我少而死。天乎胡不平」一聞于上帝命焚汝之屍因汝先絕事未之行案牘仍在凡三十年爲一世今當完結來日早後汝當斃於雷火之下」一喩驚覺中夜啼哭。姑莫曉其故次早至姑前拜辭言其死恐不測姑訝之轉身捧炷香跪於屋後樹下祝曰：「妾夙業當死所不敢辭但念姑老夫貧無人供事一也父母教訓今被雷誅爲家門辱二也身有七月胎孕幸得生男支氏有後三也今上二事不敢避獨支氏無後耳乞少延三月待分娩而後死」祝畢起身雷雨交至上帝察知其情乃另取里中悍婦馬氏代之喩獲免焉按喩氏本身孝而且順設被雷誅將疑天報有差矣。孰知其故哉。斯足證天律之幽隱也。

難星無恙　忍耐

武陵李某家素饒。一星家爲推某月日値難星。當有奇禍。李至期閉門靜息。日將晡。移步過外氏。僅隔數廛耳。忽有負薪者鈎其衣。衣且裂。李出不意。殊忿。已而念日者言。遽霽色舍之去。負薪者愧且感。歸與家人道其事。時酷暑渴甚。飲水斗許。輒暴卒。其家不能發難。端李得無恙。忍字敵災星。受辱者宜書紳以佩。

死而復甦　善人

顏六者一鄉皆稱善人。年六十無子。鄰有范醫官。亦君子人也。寓於杭。倅至自家。問以家鄉事。倅曰：『對門顏六死矣。』范大駭。以爲誤傳。倅曰：『小人來時。聞其家有哭聲。其族人洶洶東西走。爲覓棺木。非死而何。』范曰：『此善人。且未有子。可死之耶。即死當復甦。』佯爲笑之。數日范歸。舟中遇鄉人。問曰：『顏六無恙否。』答曰：『某日既死矣。其家沐浴就斂。撫其胸微溫。口鼻中斯斯有聲。輒以湯灌之。漸甦。今能食糜矣。』范自神其見。逕造顏家慰之曰：『汝勿憂。天必不絕爾也。』後果生一子。至六歲。顏年至六十七而終。

病忽自愈 放生

錢塘葉洪五。精心計。積錢數千緡。夜夢青臉神以錐擊其背。驚寤嘔血。醫禱罔效。其祖母指錢曰：『病不起矣。要他何用。』即命取錢買物放生。及錢盡。病忽自愈。

後至免溺 拒色

山陰趙義。負擔經營。頗有氣概。康熙癸卯春。與其叔趙節持貨往杭城。時天晚。霪雨不止。遂宿西陵旅次。夜有少婦來奔。義堅抗不從。次早雨霽。其叔及同往者。覓舟渡錢塘。義以後至不及。倏忽波濤大作。舟遂覆沒。而義獨免。

少羸老壯　敬老

宋桃源王彬。少患弱症。尩羸不可言。自度壽必不永。見龐眉皓首之翁。雖賤必敬之。後年愈老。力愈壯。壽至九十三。

四　得嗣類

種子奇方

宜興學憲吳頤山無子。有生員獻種子奇方曰：「方今歲荒。正天假公以求子之會也。」乃列十事上陳。其一。貧民錢糧不上兩者代納。其二。輕犯追贓贖罪者代完。其三。設立粥廠以救飢民。其四。族黨姻親不時饋送。其五。村落貧民給與錢米。其六施藥療疫。其七。拚埋枯骨。其八。修鋪橋路。其九。增益義莊。其十。捐助學田。公皆欣然行之。禱於天。連生三貴子。

連舉五子 周濟

無錫許長生。家小康。早年喪偶。未續。年六十。親友勸之曰：「凡生日。必做功德。方不枉人一世。」許問所費。親友對以三百餘千。許允諾。即於生日前數日。將錢如數分寫錢券若干。先分散親友之貧窮者。及壽日。恐賀者踵至。乃避居於鄉僻佃家。并告以所行功德。遂囑佃免其一年租。佃歡欣感激。時佃有女。年甫十六。貌極劣。旁侍。嗟歎許必獲報。其父謂許年老。孤獨且鰥。報於何有。女力爭之。其父誚之曰：「汝欲嫁彼耶。」女曰：「惟父母之命。」其父述女意於許。許以年老辭。父謂其女願甚堅。許心異之。允諾訂婚諏吉。迎娶過門。後許連舉五子。後其妻先許而故。許壽至九十有餘。子孫繁衍。門戶隆隆。成稱爲善人有報云。

連生五子　放生

杭州楊墅廟神甚靈。禱者接踵。紹興倪玉樹赴廟求子。立願以猪羊雞鴨酒醴謝神。夜夢神曰：「爾欲生子。乃立殺願。可乎。」倪叩求指示。神曰：「爾欲有子。物亦欲有子也。物中之多子者。莫如蝦螺。爾其圖之。」倪由是見蝦螺。卽買放之。後連生五子。

連舉四子　放生

無錫宣厚培喜放生。或數十文。或數百文不等。五十年如一日。逢誕辰。親友稱觴。俱用素。不欲殺生也。初艱子嗣。自三十五始放生。年近四旬。即生一子。後連舉四子。皆賢孝。家道日裕。嘉慶己巳壽九十三。恩賜八品服。時孫已八人。曾孫四五人矣。

連舉三子 造橋

崑山周季孚富而好善。中年無子。後遷至蘇郡。遇一異人。告曰。「汝命數無子。必欲求之。當修造橋梁三百。便可得子。」周曰。「吾無其力奈何。」或曰。「一橋不拘大小。亦不必創造。但能修補缺略。亦可湊足其數。」周欣然從之。欲造者造。欲修者修。略無難色。恰滿三百之數。而周已六旬矣。其後連舉三子。皆為名儒。其一則息關蔡先生之壻。公之沒也。在清康熙四十九年。時已八十有四。

【按】一橋既成。猶能濟人無數。況三百乎。宜其轉無後為有後。命數。不。足。以。敵。其。福。報。也。

連生二子

厚道

王潛販布為商。年四旬無子女。妻瞽而多病。潛經年在外。歸家日少。購一婢。本擬服役瞽妻。見婢年已十四。貌頗韶秀。明眉皓齒。畫圖中人物。改俟長而納焉。遂不使服粗役。其友張踵門致賀。索觀新寵。潛笑應之曰：「婢耳。非姬也。」即呼之出。盈盈下拜。張諦視形色沮喪。謂潛曰：「此吾妹也。吾族叔某之女也。胡得至此。」詢其女。果張姓。果為某之女。被人掠賣於潛。潛亦與其叔有舊。駭曰：「吾實不知。果爾當以女女之。」張當命女拜為父。入內參其母。年十七。字富室子。割家產之半贈之。親送畢姻。留壻家旬餘始返。入門見妻坐堂上。潛至。笑迎曰：「吾目明矣。君去後。有鄰媼伴我爲我撫摩。諸痛若失。昨夜以二雞子啖我。晨起則兩目能視物。方欲叩謝。門未啓而媼不知何往。」後妻連生二子。人咸以爲行善之報云。

當潛繼張女爲女時。非沽名。非釣譽。亦非存心爲善也。不過求其心之所安耳。何嘗想及瞽妻有復明之一日哉。夫無心爲善。善乃大。若有心爲之。跡近沽名。恐亦不足以感格神明矣。神之格思。永錫爾類。天何嘗有毫忽爽哉。世人動曰老天夢夢。觀此可知天不夢夢。世人見善而不爲者。乃眞夢夢也。

孿生二子 全人身分

徽人金翁年六十外無子。用銀百兩娶一妾。媒詭云「係小家之女」。翁見其舉止安雅。應對和柔。心竊疑之。至晚。妻以紅衫命女易服。女持衫欲服。不服。淚流滿面。似有無限愁苦。而不敢告者。翁曰：「爾但實說。我當為爾謀。身價不足計也。」女曰：「吾父曾為縣令。剛直不合上司。被黜去官。抑鬱而死。折措殯葬。家計全空。方畢。父事母。又去世。既無叔伯。終鮮兄弟。無奈只得賣身。此時尚不知母入殮否。妾遽著吉衣。是以痛耳。」翁大駭。隨燬其劵。取銀數十兩。妻即自帶一老嫗。送女還家。殮母畢。即命嫗同住女家。急為之擇良配。其妻年踰五十。孿生二子。俱成名進士。人皆以為盛德之報云。

雙生二子

救荒

明夏雲蒸入山東濟寧州幕。東翁年五旬無子。蒸逾五旬僅一子隨之。有血症。每與東翁歎曰：「我父子相倚為命。而子吐血。壽必不永。』東翁曰『我尚無子。小妾止生女。目下有孕。醫云。右手脈大仍是女胎奈何。』未幾地方荒旱蒸勸東翁設法救荒。焦心籌畫。凡一切賑濟好事次第舉行。陋弊纖悉除去。饑民俱沾實惠救活無算。越三月東翁妾雙胎生二子。喜謂蒸曰『我明是救荒報應。世言官與幕功過均分。先生報在何處。』蒸曰『吾子血症久不犯。豈不是報。』東翁曰『此猶未顯。』二婢送蒸。甫一載亦雙生二子。

特賜兩子 全婚

閩中郡守陳某。五旬無子。夫人甚妬。或勸納寵。曰『福薄故無子。若內不能容。而徒苦人女。福將愈薄。』郡中有鄉紳。性好色。比鄰有孤女少艾。紳遣媒諧合。伊母以紳年高不允。紳竟挽媒擲聘而訟之於陳。陳訪得其實。密邀新進士某來。謂之曰：「賢契少年高才。知家貧尚未娶。適某女亦是薄宦之後。貌頗端靚。爲勢所逼。不佞雖有公斷。然非爲士人室。恐訟猶未息。故特爲作伐。」以十金代聘儀。四金作賀敬。今夕甚吉。卽送成婚。撤堂上燈火送歸。母女感泣。闔郡稱快。是夕夫人夢神抱二孩至。云：「上帝以爾夫不狥時望。曲諧佳偶。特賜兩子。」夫人驚悟。直告郡守。爲置側室。妻妾雍和。歡如姊妹。至冬兩子並生。後守以卓異進擢。

神賜一子 全婚

揚州高尚書父販貨京口。客寓中。時聞安息香撲鼻。一日忽見壁隙中伸進一枝。公從隙窺之。見少女獨坐。次日公訪之主人。卽其女也。問何不字人。答曰：「擇壻難耳。」數日公訪得一壻。謂主人曰：「吾見高隣某郎甚佳。欲爲作伐。何如。」曰：「吾意亦屬之。但其家貧。」公曰：「不妨。吾當借貲與之。」即爲說合。贈數十金以完其美事。公歸。夢神語曰：「汝本無子。今賜汝一子。可命名銓」踰年。果生一子。後登進士。仕至尚書。

天錫貴子（一）周濟

毘陵錢長者多貲乏嗣。里有喻老。爲勢家控欠械繫。連年妻女飢寒交迫。求假於翁。翁如數給。不問劵事。解喻老挈妻女踵謝翁。妻見女少麗。欲致爲翁生子。計喻夫婦忻然。翁曰：「乘人之急不仁。善始而以慾終。不智。力却之。夕妻夢神曰：「爾夫陰德格天。錫爾貴子。」踰年生子。名天錫。年十八。鄉會聯捷。

天錫貴子（二）救亡

王僕射初爲譙幕。因按逃田。見歲饑而流亡者數千家。乃力謀安集。上疏論列。乞貸以耕具牛種。朝廷皆從之。一夕。次蒙城驛。夢空中有紫綬象簡者。以一綠衣童子送之。曰：「汝本無子。上帝嘉汝有愛民深心。特以此爲宰相子。」後果生一男。官至宰相。

天遣神童　放生

裘兆麟四十無子。屢禱於神。夢神告曰：「汝命無子。天曹最重放生。若能全活萬命。即可得子。」裘曰：「家貧。安得有錢放生。」神曰：「汝若無錢。即勸有錢者放之。功與相等。」裘因思與錢玉成善。遂往述夢中語。且謂之曰：「願君俯從吾請。功固歸君。倘邀神鑒。以沾餘功。俾延一綫。拜賜不淺。」錢允之。由是凡遇生物。裘必力勸錢即買放。數月後。裘復夢曰：「上帝嘉汝救物已多。已遣玉霄童子到汝家受生矣。」一錢玉成之子。今年應遭痘厄。因此赦之。明年裘果生子。穎悟異常。

天賜爾子 還女

馬涓父中年無子。買一妾極姝麗。每理髮必引避如沮喪狀。公怪問之。曰：「妾父某官不幸身亡。家貧不能歸里。故賣妾。今服未除。約髮者實麻帛。不欲公見耳。」一公惻然。即日訪其母還之。且厚貲助。是夕夢一羽衣人曰：「天賜爾子。慶長涓涓。」一明年果生一子。因以涓名。及長魁太學。鄉薦廷試皆第一。

後生貴子 還女

鎮江靳翁五十無子。訓蒙於金壇。其鄰女頗有姿色。夫人鬻釵梳買作妾。翁歸。夫人置酒於房。告翁曰：「吾老不能生育。此女頗良或可延蘄門之嗣。」翁俛首面赤。夫人謂已在而翁赧也。遂出而反扃其戶。翁即踰窗而出。告夫人曰：「汝意良厚。但此女幼時吾嘗提抱之。恆願其嫁而得所。吾老又多病。不可以辱。」遂反其女。次年夫人生文僖公。十七歲發解。明年登第。後爲賢宰相。

特錫一子　好施

新城嚴輔字性好施與。尤喜放生。全活無算。其妻鄔氏贊成之。初屢誕子不育。一夕夢神告曰：「汝先世分毫不肯濟人。故生子不育。今上帝以汝夫婦樂善好生。特錫一子以彰善報。」後生一子。果育。壽至八十有七。猶及見孫娶婦焉。

未幾生子　放生

休寧胡應全幼孤。事母以孝聞。素奉佛好放生。年四十。產五女。人勸溺之不從。康熙癸巳。夢至神社。見神微服坐。胡再拜。神扶起命坐。曰「汝本無子。以放生有功。今陶姓第七子有善根。令爲汝後」未幾果生子。名繼陶。胡放生愈力。爲善益堅。刊感應篇陰隲文三千卷。至七旬。無疾而逝。

未幾得子 放生

元朝一富商求子。聞太嶽眞人召仙判事有驗。因往叩之。判云「汝前生殺業多。使物類不能保有子孫。故得斯報。今放滿八百萬生靈。方可贖罪。若誤傷一蟲。須放百靈以準之。挽回造化。是爲第一」商即立誓戒殺。捐貲放生。未幾得一子。以孝廉出仕焉。

未幾妻孕 厚道

時邦美之父。鄭州牙將也。年六十無子。押綱至成都。妻令娶妾而歸得一女甚美時窺見其用白布總髮問之泣曰「父本都下人爲州掾卒扶櫬至此不能歸賣妾以辦喪耳」邦美父惻然攜金助其母還其女又爲幹理歸計及歸告妻以故妻曰「濟人危急爲德甚大當更爲君圖之」未幾妻有孕一夕夢一金紫人端坐中堂旦生邦美中會元官至吏部尙書

後卽舉子

厚道

德清蔡狀元啓僔初應鄉薦時尙無子夫人私蓄三十金爲置一妾妾至垂泣不止公問其故曰「夫以負營債至此」公乘夜往其夫家語之曰「我爲爾了此事我今不可歸歸則心跡不白」遂宿其家候營卒來詳告以故云「汝繳券我卽付金」卒亦惶遽感動交券辭金公乃命轎舁婦還其夫以三十金爲贈後夫人

即舉子康熙庚戌公遂及第。

忽舉一子 行善

蘇州貢士許升年艱於得子。甲午春。適有楚中日者黃君。推算多奇驗。因命決焉。云『應乏嗣。但修德可得』升年遂矢願廣行善事。倡育嬰會於圓妙觀。竭力殫心。凡所收之嬰。視同已出。時升年五十六歲。其內子亦逾四旬。忽舉一子。因取名嬰。誌其應也。

忽生一男 救生

范軍士妻患瘵疾瀕死。遇道人與之藥。云用雀百頭。以藥米飼之。至三七日。取其惱服之。當瘥。然一雀莫減也。范如數買雀養之。有死者。則旋易之以充數。未旬日。范以公差出。妻覩雀嘆曰：『以吾一人。殘物命至百。甚不仁也。試思我命如他命。還望他生即我生。吾寧死。安忍爲此』

乃開籠放之。夫歸怒責其妻。妻亦不悔。已而病愈。臨危遇救恩無極。彼壽隆兮爾壽隆。初久不產育。是年忽有娠。生一男。男兩臂上。各有黑痣如雀形。一飛一俯而啄。羽毛分明。不減刻畫。忍一己之死。不忍百雀之死。故得不死報。愛雀之心。眞如愛子之心。故得雀現形之子報。可悟人生一切。皆由心造。

遂舉一男

全人身分

楊秉時。無錫諸生。文名甲於邑。奈屢試輒落孫山。年過五十無嗣。閨中但有五女。因娶妾焉。娶之日。賓客讌賀。主人偶入房。見新姬嗚咽鏡欷。次慰之不止。詰其故。乃曰：「憶兒家阿父為南潯通判時。嘗置多妾。後為阿母不容。鞭箠極楚。逐出後甚有流為娼者。阿父聞而不忍。使人持金嫁為廝養婦。或送空門。今不幸父兄俱戍黔疆。母妹早年喪失。子身異路。遭媒儈居奇。侍巾櫛於君子。撫今追昔。不覺悲從中來。』楊爲之泫然。曰：『毋泣。我之祧嗣。有命存焉。何忍以宦家女爲媵妾。爾其爲我女。當爲擇一佳婿。』女再拜遂命與諸女寢。隸姊妹行。出與賓客具述前事。衆頌其盛德。明年。夫人臨蓐時。公坐堂前。驀見二隸導一官進。方欲迎迓。官遽趍內室。與二隸俱不見。而房中已呱呱泣矣。其夫人遂舉一男。前所欲妾之女訝曰：『何面貌酷似阿父也。』人咸以爲女父報公之德云。公年至九十餘。終。子爲名孝廉。諸壻俱顯貴。義女壻後亦得官。

果生一子

勸善

清常州右營守備曹成秀云。余乙丑補宜營。抵任。初聞宜邑紳士徐經陸者。孝友端方。營務旁午。未遑識荊。越數月。始晤。往來款洽。余談及年逾半百。多病乏嗣。行將解組歸里。徐君慰曰：『官可辭而子不可少。但能多行善事。可以致福。」余曰：「我輩居官。動止多尤。敢望福報。」徐君曰：「不須他及。只力行感應篇。更能刊施廣佈。誠心勸善。向來靈驗。不可枚舉。」余始豁然。立願刊施。未幾身漸康強。丁卯四月。果生一子。余益信神明。可以至誠感格也。」

果復生子　放生

昔錢二愚生子八歲而殤。止餘二女。自分命應無子。故爾。一日遇友張舜期曰：「子可求也。吾前亦患無子。因得一方。四年之間。約費銀二十餘兩。今已得兩子矣。」問其方曰：「人之不可少者衣食二字。求子之法。於此可得。設有一衣焉。其價一兩。吾減之用五六錢者。食亦如是。其一切器用。皆以減省爲事。將所減之錢。或濟人。或放生。久久必有奇驗。」錢聞之。疑信參半。轉念若果無子。積為遂立一簿。依張說行之。復連生二女。錢無悔意。逾四年。果復生子。因查積累簿。恰與張友所輸之數暗合。嗚呼何其神也。

後果生子　救冤

豫章李後林父通判成都。赴任時。聞太守欲籍張主簿家而罪其罪。公力言得免。張具禮謝公。公歸德太守。一無所受。時公年四十九無子。張繪其像。夫婦旦夕拜祝。願公生子。後生林。登進士。

無子忽有　尚義

尚霖為巫山令。邑尉李鑄病劇。霖請所托。尉以老母少女對。及卒。霖割俸送其母及函骨歸里。且嫁其女于士族。一夕夢尉曰。「公本無子。銘公之恩。請于上帝。得為公子矣。」及生。名曰「穎」。篤厚純孝。官至大理寺丞。

特賜男女

馬默知登州先是沙門島罪人官給糧三百名舊例溢額取罪人投海中默言朝廷既貸其生若投之海中非寬仁本意今後溢額察年深在配所無過犯者移至登州神宗詔可著爲定制後默坐堂上見八乘空挾一男一女來曰「君本無嗣以移沙門罪人事特賜男女各一」復乘雲而昇後默官至運使年八十

神送嬰兒

周濟

邯鄲張繡家貧無子置一空罈積錢十年而滿有鄰人犯徒三子俱幼擬賣妻贖罪繡舉所積錢代爲償納不足夫人復拔一釵湊之是夕夢神抱一嬰兒送之遂生國彥歷官尙書

晚年得子

行善

王榮家素裕。五十無子。發願力行善事。每夜點天燈於要路。又置小燈百餘。値黑夜遠歸者給之。天雨施草履雨繖。數年。妻妾各生一子。聰穎不凡。俱成進士。夜燈照人。是猶無目而予以雙眸。黑夜而予以太陽也。其惠旣大。其後必昌。

（五）致富類

遂成富室 傳方

嘉定縣馮生。性好善。家貧力乏。日擇良方抄寫。遍貼城市內外。一日欲進香南海。遇一星士。言其一生命窮。目下且有水厄。馮念固窮。有日發心朝參大士。水厄亦何敢避。行至中流。果風狂舟覆。恍見數卒。引至龍王前。問曰：『子寫醫方救人。善心誠切。達于水府。吾故遣甲士救汝。今與汝祕方十二。行之可致富。』馮謝。云『某命當窮安敢望富』王曰『貧富固有命惟心好者命亦無憑汝命當窮汝心却當富即如水厄亦命所招因汝好心便不爲害』命吏取方授之又命長鬚將送歸晚刻到岸衣不沾濕方在袖中依方行之求者如市遂成富室

遂成富室（二）

除道

江西臨川民周士元入山採茶被荊棘鉤衣向前跌踣木刺入肉流血不止因念同伴諸人俱由此路恐亦被傷乃忍痛坐地用力拔去荊條根下閃爍有光視之乃黃金一錠持歸作本販賣三年之後遂成富室

因以致富（三）

除道

山西太平縣王姓爲最富相傳其先有一諸生言信行果而家極

貧。教讀鄰村。歲暮撤館歸。輒將所衣之藍衫。質之典鋪。以資度歲。新春必贖回。披以上館。歲以爲常。一年持藍衫往質。店夥嫌其敝不納。生具道春間必贖。年例如此。試查故簿自知。店夥仍斥之。生歎曰：『我若開典鋪。有可以濟人急者。雖死屍亦必受當。』乃負氣披衫而返。途中爲棘刺所鉤。衣破。悒悒行數步。忽思歲除在卽。此地來往頗多。恐棘復鉤他人衣。乃返。脫衫。徒手拔棘。棗堅不可。拔。因拾道旁樹枝。刨土挖根。根盡。而其中有空坎。白金見焉。檢以歸。正月焚紙錙其處以謝。則坎中藏金頗多。盡取之。乃開小典鋪於前所質鋪之對門。開張日。仍披藍衫祀神。聞店前喧爭聲。出視之。有人裹一死孩來當。典夥呵詈其人。爭曰：『汝家主人曾親口許當。』心知爲某鋪所爲。乃云：『語實有之。欲當幾何？』答云：

「一兩」一如數給之。店夥無不怒且笑者。生持入後園中。掘坎埋之。坎底粲粲。皆白金也。因以致富。甲於通省。遠近悉稱為太平王。恤窮周乏。終身不倦。子孫皆守其訓。

俱饒衣食

誠實

明嘉靖丁亥歲。大饑。新建縣一民窘甚。家止存一木桶。賣之得銀三分。乃以二分買米。一分買毒。將與妻孥共飽而死。炊方熟。會里長至門索丁糧。無以應。里長遠來患飢。欲一飯去。又辭以無。及入廚見飯。詬其欺己。其人急搖手曰：「此非君所食」。愈怪之。始流涕以實告。里長大駭。急取飯埋之曰：「爾無遽至此。吾家尚有五斗穀。爾隨我往負歸。可延數日。或有別生理。奈何遽自殞」。其人感泣從之。及歸而出穀。則有五十金在焉。駭曰：「此必里長積償官者。誤置其中。彼救。我死。我何忍殺之。』急持還里長曰：『吾貧家。安得此？殆天賜汝者。』其人固卻。久之乃各分其半。自此兩家俱饒衣食矣。

遂致大富　放生

李元冲將宰一魚。先夢一皂衣嫗曰：『妾腹中有五千子。妾生五千子亦生。妾死五千子亦死。敢望哀憐。』元遂放之。立誓戒殺。後於。水。際。得。珠。遂致大富。

鋤地得金　放生

吳江劉子嶼有魚塘一所。至冬築小堰以放塘水。竭澤取魚。水放將半。見二大鯉跳出堰外。復跳入堰中。如此再三。劉異之。觀鯉所至。有新育小鯉數百。聚一穴中不得出。故二鯉往來跳躍。且唧且涉而救其子。寧陷死地而不惜也。子嶼喟然歎曰：「物之愛其子。也亦如人乎。」乃去堰放魚。後二年。鋤地得金。遂大富。

改過篇

一　復名類

神燈復明　補過

唐皐初爲諸生。以文謁郡守。守見皐來。前有金絲燈相照。守見之而皐不知也。守敬重之。然未明言其故。已而見守。卽無燈照。守駭曰：「子近有所作乎。當直言無隱。」皐始憶適有負人錢者。將妻賣償。奈無代筆。以一金託皐。遂爲作券耳。守因出一金。囑皐曰：「子速還其人金。誘彼婚書裂碎之。」皐如守言。毀婚書。入謝守。而燈復在矣。守見大喜。因與皐明言其事。明正德甲戌。皐年四十六狀元及第。

復中鄉榜　補過

四明葛鼎鼐爲諸生時。每赴學舍。過一磚橋廟。必揖而去。神托夢於廟祝曰：「爲我築一屏於門。葛狀元過此必揖。我起立不安」祝將鳩工。復夢曰：「無庸。葛生。代人寫離書。巳削科名矣。「蓋里有棄妻者。葛得一金而代寫也。葛聞廟祝言。力完其夫婦。後中鄉榜。官副使而止。

次科仍中　懺悔

辛卯浙闈。場前有一人夢神祇聚會。考校中式諸人。首名爲鍾朗有一女子愬寃。中坐者曰：「是不可中」因訪求補此名者。旁答曰：『盍以孺子代之。』某人醒而以夢告鍾。因細詢鍾委曲。知其家有婢懷妊。爲主母不能容。赴水死。鍾常以此不安於心。聞夢驚駭殊甚。是科鍾果不中。余恂中元。所謂孺子者。乃恂之字也。未幾主母病卒。鍾益懼。由是力善不怠。次科甲午。仍中元。

後復登第　悔改

有一縉紳田姓者。丰姿俊雅。里中女人多奔之。遂避隣近之南山寺讀書。寺傍亦有來者。田心知其非。而不能忍斷。有一神甚短小。初每見夢寐。繼則白日相隨。謂之曰：『汝原有大福。合官御史。因花柳多情。削去殆盡。上帝命我監視。若自今改過。仍可不失功名。』一遂。猛省悔改。後復登第。

後仍中式　警懼

漢陽一諸生。素有才名。屢試不第。一友為請乩叩之。乩答以某生應有科名。因少時館於某家。與一婢私通。欲望登第不能也。生悚然警懼。因輯戒淫功過格。廣採註案。募貲刊施。至康熙丙子科。仍中式。人皆以為改過之報云。

復占天榜　戒淫

項夢原原名德棻。夢登癸卯鄉科。以汚兩少婢。被神削去科名。遂誓戒邪淫。力行善事。以贖前愆。後夢至一所。見黃紙第八名為項姓。中一字模糊。下為原字。傍一人曰。此汝天榜名次也。因汝近來改行。故復占此。遂易名夢原。壬子鄉試中順天廿九名。已未會試中二名。甚疑夢中名次之爽。及殿試為二甲第五名。方悟合鼎甲數之。恰是第八。蓋鄉會榜皆用白紙。惟殿榜獨黃紙云。

因夢儆悟而痛自改過。還是有福人氣象。不然。則既已削去矣。焉得復占此科名哉。觀此可知天道禍淫。不負悔罪之人。有志者無以一失足而遂謂不可轉移也。

復官學士 痛悔

洪肅一日暴卒。恍惚見綠衣人。引之至陰府。洪問平生食祿。綠衣人於袖中出大帙示之。已姓名下。其字如蚊。不能盡閱。後註云「合忝知政事。以某年月日。姦室女某人。降秘閣修撰轉運副使」洪悚然淚下。曰「奈何」綠衣曰「但力行善事可也」已而前至大溪。綠衣人推墮之。恍然而悟。死三日矣。以心煖口動。故未就殮耳。遂痛自悔過。力行善事。後公以秘撰官至端明殿學士。享上壽而終。則力行悔過之報矣。

改隨善神 改悔

昔阮自實恨繆姓負德雞鳴礪刃將往殺之道過一菴菴主軒轅翁有道之士也見其前往有奇形異狀之鬼數十從之各持劍戟勢甚凶惡頃之復回有金冠玉佩之士百餘隨之擎蟠掌蓋和容婉色意甚安間翁意疑之天明往問之自實曰「某欠我債若干既不償我又遭詬詈朝去欲往殺之轉思彼雖負我妻子何尤且彼有老母若殺之是殺其一家矣于心不忍飲恨而歸耳」翁賀曰「子將有厚祿神明已知之矣」因言其故自實益勇猛向善乃登第位至卿相

改導善神 立改

江陰南門軍張旺嘗夜盜城西田父菜被執濡首厠中遂懷恨一

夕匿火往燒之。道經官街。有畫師吳碧山未寢。聞步履聲。窺見旺有惡鬼數十尾之。須臾又聞履聲。窺旺回。有青衣童男前導。明日叩旺。旺曰：「我初欲爇其室。忽念冤冤相報。將無已時。故止。不意有鬼隨行如此。」即棄俗出家。

二　失子復得類

賢子復生　悔過

宋虔州王汝弼言行不苟。其東村劉良西村何士賢祖父俱積德。崇寧癸未兩姓各生一子。俱頴異過人。延汝弼爲師。而良與士賢家貲雖饒。然頗刻薄。遠不逮前人。政和辛卯三月。汝弼立於門首。見人馬過如官府狀。向何氏門內。有指畫狀。隨到劉氏之門。亦如之詢之兩家。不知也。未幾疫作。兩家之子。皆斃。是秋。汝弼見攝至冥見主者冕旒南面呼汝弼問曰：『汝是陝西乾州王汝弼乎』。曰：吾乃江西虔州王汝弼也。查之祿壽尚遠。因叩主者以何劉二子之亡故。主者曰：「二子。左輔石弼也。天曹錄其祖父陰德將昌厥後。不意良與士賢處心行事。悉反其先世所爲。以故奪其貴子。行將盡掠其家貲矣。』王甦。已閱二日。乃呼劉何二姓。詳告之。二人涕泣悔過。由是廣積陰功。濟人利物。乙未年。復各生一子。劉名兆祥。何名應元。仍延汝弼訓之。後二子同登紹興癸丑進士。位至通顯。

【按】祖父積德所致之貴子。猶能以刻薄故而殺之。況本無修德之祖父乎。現在既死之貴子。猶能以修德故而令其復來。況其未遭天譴者乎。乃知求嗣得嗣。洵非虛語。但須得其求之之道耳

連得六子

趙巖士少時曾犯色戒晚年乏嗣漸至形神衰羸體如骨立幾無復有生人之想適閱謝漢雲所刊不可錄不覺汗流浹背痛改前愆幷請其板捐貲印送後精神漸旺連得六子

連舉三子 戒色

華亭張某少有淫行後生二子皆不育復得瘵疾經年不愈偶見丹桂籍註案中淫報彰彰不勝悔恨遂在神前立誓永戒邪淫復刊陰騭文廣施其疾尋愈數年間連舉三子

後舉二子 痛改

賈仁五十無子夜夢至一府第題曰：『生育祠』仁因叩求子嗣主者取簿視之謂曰：『汝曾姦一良人妻欲求子不可得也』仁

哀告曰：「小民無知，乞容贖罪。」神曰：「汝既悔過，更勸十人不淫，方可贖罪；再勸化多人，則有子矣。」仁醒，痛自改悔，因廣勸世人，感化甚衆，後舉二子。

乃生一子 悔過

明相國某，爲人忌刻，平生未嘗稱一善，舉一賢，晚年諸子盡喪。一道者見而憐之，曰：「汝心行不良，恐至滅門。」某懼，求教，乃以赤松子中誡經授之，自此矢志遷善，悔過，乃生一子。

卽舉一子 醒悟

張寧廣置姬妾，晚年無子，禱於家廟曰：「寧有何罪孽致斬人先血食？」旁一妾云：「擔誤我輩，卽陰隲耳。」寧悚然醒悟，察不願留者，卽日遣嫁數人，次年卽舉一子。

（三）愈疾免災類

不藥而愈　自新

陳覺一年之內。闔門盡遭雙瞽。醫禱兼行無效。一日遇一異僧語之曰『汝一生以智巧欺瞞愚昧故獲此報禱何可贖』覺願改過自新以求療治之法僧曰『永點夜燈以照行人行人之目明家人之目或可不昧』覺即奉行不倦并勸里中共施點照三年之內始終如一日一門俱不藥而愈來年瘟疫徧及獨陳覺里中俱得安然

病愈體健　戒殺

桐城尹珪貪饕殺生。三旬外。夫婦病怯。有一風鑑甚神。珪問壽數。

相者曰:『觀君殺氣滿面數不遠矣。』又引大藏經告之云:『人不殺生得長命報壽數在君勿問我也』因出戒殺編授之珪卽信受奉行永戒活物不入庖廚遇生命買放之嗣是病愈體健夫婦年俱至八十有餘。

曲腿忽起　感悟

震澤鎭某喜食田雞止生一子兩腿拳曲如蛙狀某患之有兩友苦勸戒食某始感悟幷撰文刊布勸世二友共成其事一時戒者甚衆明年秋試三人俱中式而兩腿拳曲者亦忽然立起矣此乾隆初年事人所共悉。

危疾遂痊　悔過

淮陰陳生任俠不修細行至三十如有悛心偶患背疽勢危甚因

自念死生晝夜。乃常理。何足畏。但可惜。不曾做個好人。若天地垂憫。賜以再生。定要改行從善。遂草一悔過文。焚告空中。是夕二鼓夢金甲神持册二顆。謂曰「爾言下頓悟。上帝遣來相救」因用手摩背。清涼遍體。遂痊。自後力行善事。以壽終。

子疾漸愈 改惕

宋大夫蔣瑗。有十子。一傻。一跛。一攣。一躄。一顚。一癡。一聾。一瞽。一啞。一獄死。公明子皋見之。問曰「大夫所行何如。而禍至此」瑗曰「予生平無他惡。惟好行嫉妒。勝己者忌之。佞己者悅之。聞人之善。則疑之。聞人之惡。則信之。見人有得。如己有失。見人有失。如己有得耳」子皋歎曰「大夫心行如此。須至滅門矣。惡報豈止此乎」瑗聞其言。惶然畏懼。子皋曰「天雖高而察甚下。若能改往。修。來。則。其。轉。禍。爲。福。不。患。遲。矣。』瑗。自。此。改。惕。盡。反。生。平。所。行。不數年。諸子之疾。漸次而愈。【按】石祁一語。龜兆反臧宋景三言。熒惑退舍。此即惠迪從逆吉凶影響之明徵也。迂儒力詆因果之說。直欲使聖賢勸世苦心。歸之存而不論。衆皆悅之。自以爲是。而不可以入堯舜之道。其茲若人之儔歟。

痼疾遂愈　省悟

上海崔書紳嘗倩人繪春宮十數幅。淫巧絕倫。後患瘧不已。每熱甚則見美男子美婦人十數輩。皆赤身露體。二鬼使挾之剖腹抽腸。血流滿地。次及於崔。疼痛呼號。詳詔始末。舉室皆聞。崔省悟。急焚之。病遂愈。

聾啞俱痊　除道

何慶齋聾啞不能自養。居大寺中。見道路有荊棘。輒斬除之。以便行人。復於夏秋日。必鋤去狹路上草。勿使雨露濕人衣足。一夕夢黃衣人謂曰：「汝以前生輕聽是非。好談人短。故今生罰汝有此病。今能方便人。天亦方便汝」。醒來聾啞俱痊。（人在世間，方便第一。昔袁待賢命應乞丐。有精於子平者勸之。因以口才造命。遂致富。子登仕籍。訓子詩曰。天定爾翁孤且窮。春生口角命旋榮）

死罪善終

忽悔

王某曾某素相善。王豔曾之婦。適曾繫獄。王賄吏斃之。方欲娶其婦。意忽悔。（良心不死）遂輟謀。（然而曾某已斃矣不可救藥矣）乃迎養曾之父母妻子。加意侍奉。曾父母德王。欲以媳嫁之。王固辭。奉養益謹。（善於補過）曾母病。王奉湯藥如子。曾母臨歿曰：「感君厚德。來世何以相報」。王叩頭流血。具陳其實。乞冥府見曾。爲解釋。母慨諾。父亦書札納母袖中。曰：

『死果見兒。以此付之。』王為曾父母營喪葬。王竟善終。

災相離去　改善

郭鄩罷櫟陽尉。動與物忤。親友俱疎。恍惚間常有物如猿猴出入。無不相逐。諸所造作。如礙枳棘者數年。百計莫能絕之。鄩改行善。夕夢來告別云『吾乃主世之虛耗者。君以隱慝獲罪。久乘君厄運不相離。今君行善。當去。君可安享矣』果如言。

(四)變惡篇

骨格大變　作惡

吳庸言少時美丰姿。有才識。一相士謂之曰:『子骨格停勻。乃享五福之人也。當多作好事。以迓天床』又指其心曰:『只恐此方寸之地難保不壞耳。戒之戒之。』吳年既長。心計愈深。謀人田產。或唆人爭訟。或破人婚姻。報復私怨。或離人骨肉。於中取利。種種作惡。非止一端。一日遇前相士。大駭曰：『吾戒爾莫作壞事。爲何不守吾言。尊格大變矣。惜哉。』吳曰：『吾日行善功。時存善念。一舉一動。不愧衾影。子乃有此說。吾所不解。』相士笑曰：『休得瞞我。凡人有德。則上天錫福。現于面者。必光華潤澤。子滿臉兇紋。萬端苦惱。行將至矣。目前家業。恐非君有也。』嘆息而去。吳自念半生所積。粟可支十年。衣可穿一世。憑我心計。何難累百而千。累千而萬。相士之言。未足信也。豈知器盈則覆。月滿則虧。天不佑作惡之人。田被水淹。房遭火燬。意外花消。破費之事。接踵而來。向之稱素封者。今則一貧骨立矣。終日愁眉淚眼。如身處地獄中。刻難宵

尉遂抑鬱而死然則相奚足恃乎

氣色敗矣

誘賭

丁湜於臚唱前詣一相館相士書於壁曰「今年狀元是丁湜」湜善樗蒲同年二蜀士多金以計誘之得錢六百萬竊自喜復詣相館相士大驚曰「君氣色敗矣天庭枯燥而黑得無有昧心之事以負神明乎」即取筆於壁上塗去狀元字湜悚然實告曰「悉反之何如」相士曰「舉念即有神知君能悔過高甲可占然必非第一人也」是年湜居第六

相已改矣

薄妻

河東朱章幼時有僧相其貌大貴章嫌其妻貌陋乃停之別娶致妻抑鬱死越二十年復遇前僧相之驚曰「君相改矣吾昔相君

大貴。今無望矣。不知何事損德。章曰：「別無罪過。或薄待前妻。以至於此。」未幾染病。見妻來追而死。

撥鼻損相　犯色

吳淞顧生。積學工文。其鼻端稍偏。夢人謂曰：「爲汝撥正。可登一榜。」及旦視之。果正矣。後偕同學應試。一日約顧游山。顧抱微痾。弗偕行。主婦聞客盡出。步入客寓。不意顧出帳中。摟抱被污。是夕夢前人謂曰：「汝作損德事。不登賢書矣。」因撥其鼻。及旦視之。仍不正。後蹭蹬終身。

鼻正心偏。鼻仍不正。嗟嗟。既作損德事。縱使五官俱正。能免終身蹭蹬乎。

天榜除名　犯色

「當湖林某有二姊適陸氏昆季長生子某次生子天錫康熙戊午林病歿翌日復甦告家人曰『異哉陸氏二甥一段因果也昨至冥府侍衛森嚴予方惶恐忽聞人馬喧闐諸神送今科天榜至查核功過以定去取由詳桂宮冥王因喚予曰『汝祿未終既來此看我查核新科舉子以昭報應之不爽予悚懼旁立隨有判官呈冊解元即甥陸某也冊載母林氏咀咒口過上干天怒王色怫然再查陸某犯財色二字遂除之次查至二十一名乃甥天錫其母口過相等王亦欲除之再查籍中註有友人逋賦當受杖代爲完辦叔爲縣令虧帑棄產補之又拒一奔女王喜諭予曰「汝甥有此三大善榜當留名汝回陽可勉其精進勿怠」予受命而出恍恍間即歸家也』因召二甥語之是科天錫果中二十一名」

仙謫地獄

奸險

唐李林甫未顯時。于槐壇遇一道士。曰「君名已列仙籍。後當白日昇天。作二十年太平宰相。他日事權在手。切記吾言。不可妄爲」及大拜後。妬賢嫉能。靡所不爲。嘗于正堂後別創一室。制度彎曲。名偃月堂。欲害人不得其計。入此靜坐精思。一番其人破家殺身。登時立定。一日復遇前道人。謂曰「君忘吾言乎。已獲罪矣。當生水族」言訖不見。及將敗。見一物遍體毛髮如猪目光如電鋸牙鉤爪。以手擊甫。叱之不動。不數日七竅流血而死。後朝廷勅命剖棺戮尸。追奪誥命。沒籍入官。流諸子于嶺南。元和六年。惠州震死一娼。脇下有朱書云「林甫後身」至淳熙初。漢州震死一女。亦有朱書云「林甫爲臣不忠。陰賊良善。三世爲娼。七世作牛。生生世世。永墮水族。」

削盡祿籍　侮師

明新安汪會道天姿穎悟。書過目輒成誦。八歲即能文。而傲侮師傅。稍拂意。至生怒詈。一日。獨坐書齋。忽呵欠。口中躍出一鬼。指汪曰：「汝本大魁天下。因汝恚怒其師。上帝削爾祿籍。吾亦從此逝也。」言訖不見。次旦翻閱故篇。不識一字。

削奪無餘　犯惡

上虞監生劉某其父曾爲按察使。某讀書有文名。久不得第。其族兄某暴死。後忽活。語家人曰：「昨死去見冥王。先於廊下候唱名。廊旁有大簿。偶抽看。見族弟名。即監生也。大書『一生祿位該二十五歲中舉人。連捷成進士。歷任至八座。壽八十四。』二子俱進士。又於上逐筆勾。去細註。云某年月日犯某事。削一子。又某事。再削。又犯某罪。削進士舉人。又某事。削壽。後竟。削奪。無餘。方看畢。王升殿唱名。因問曰：「適見汝弟薄否。汝命盡矣。今暫放汝歸傳語人間以知惡報。」乃遍告親友而歿。時監生方應試無恙。明年夏。病疫暴死。

官階削盡 無行

裘文達公典試福建心奇解元文。榜發。亟欲一見。晝坐公廨。聞門外喧嚷聲。問之則解元與公家人。爲門包角口。公意其貧。禁家人索詐。立刻傳見。其人面目語言粗鄙。無可取。公不悅。因告方伯某。深悔取士之失方伯曰：「公不言。某不敢白。放榜前一夕。某夢文昌關帝與宣聖同坐。朱衣神持福建題名錄來。關帝覽額曰：「此第一人平生作惡武斷何以作解頭』文昌曰：『渠官階甚大因無行已削盡矣然渠好勇喜鬬一聞母喝即止不敢違逆念此尚屬孝心姑與一解不久當令歸土矣』關帝尙怒而宣聖無言未幾解元果暴亡

官位削盡

裴章河東人僧曇照道行甚高能知休咎章幼時爲曇照所重言其官班位望過于其父父裴胄鎭荊州弱冠父爲娶李氏女章從職太原棄其妻于洛中別有所挈而去李氏自感命薄常念佛蔬食又十年胄移守太原曇照隨之章與之敘舊照驚呼久之謂曰：『貧衲十年前語郎君必貴今削盡何也』章語以薄妻之事照曰：『夫人生魄訴上帝以罪處君矣』後數日爲其下刺死于浴室中

削其祿秩　受賄

明隆慶間。荊州推官魏釗往夷陵勘驗人命。有鄉官徐少卿夢神謂曰「明日魏理刑過此。其人前程遠。大不久轉銓曹。可厚待之。」明日果至。徐款甚隆。及返。又夢神曰：「魏理刑受賄。四百金。故出人罪。使死者含冤。上帝已削其祿秩。并年壽亦不永矣」徐異其事。令人察之。果然。尋丁內艱。服闋轉戶部主事。一年卒于京。家亦凋落。

削其相位　受賄

昔侯鑑為江夏令。與勝緣長老居約有舊。每暇必往。至則必先已治具。一日又至延待殊闕。鑑問之。約曰：「公每來。土地必先報。此番不報。是以失待。」鑑驚。使問土地不報之由。是夕居約夢土地曰：「侯鑑本應作相與吾有統攝。是以常報。近受胡氏銀六十兩。枉斷。一事天曹削其相位。但得作監司而已。與吾不相統。故不報耳。」

不得封侯 殺降

漢李廣屢著邊功。不得封侯。語王朔曰：「豈吾相不當封侯耶。」朔曰：「將軍自念嘗有所悵否。」廣曰：「吾爲隴西守時。羌嘗反。吾誘降者八百餘人。殺之。至今獨恨此耳。」朔曰：「禍莫大於殺已降。此將軍所以不侯也。」後廣出征失道自刎。

祿不符相 濫殺

蘇頲曾遇一相士。謂當至尙書二品。後至三品。病亟。夢神告曰：「公命不可爲矣。」公因述相者言。神曰：「相實不妄。因公作桂府時，有二吏訟其縣令，公爲令杖殺之，故減壽二年，不至二品耳。」

盡奪其算　作惡

祁天宗恃才放誕，逢人自誇理學，而所爲皆詭僻不經，尤不信鬼神，常肆嫚罵。讀書僧寺，天雨薪濕，呼童劈木身靈官作爨。夜夢紅鬚執鞭之神，厲聲叱責曰：『爾何無禮至此，本應鞭斃爾。死因爾前生苦志芸窗，故今世具此聰明學問，應科甲聯登，祿入萬鍾，遐齡壽考。今爾狂妄誇大，高已卑人，冥司錄過，依陰律勘斷，爾應享之福，已經削除一半，此後若不知悔，必罹重罰，正無煩吾之一鞭也。』天宗醒後，不但不懼，且自述其夢，誇於同輩曰：『邪鬼畏我矣。』衆皆匿笑。其父喜讀佛書，母奉觀音大士甚虔，天宗乘母睡熟，偷將聖像燒燬。母流涕謂之曰：『爾作惡不悛，只願你生好兒子」天宗聽之漠然。年逾四十。屢赴棘闈不第。心志昏迷。貪酒戀色。無所不至。有名家少年子。强誘雞姦。豈知引水入牆。少年轉通其媳。遂致帷薄貽譏。一日白晝見二陰役持巨鎖鎖去。帶至東嶽府。發罰惡司議罪。司官檢閱冥簿。天宗二十九歲應得舉。三十歲成進士。官二品。七十八歲善終。因其少時狂蕩。減削其算。晚年以舉人爲司鐸。轉知縣。官五品。年五十四卒於官。緣四十以後作惡萬端。日甚一日。上帝震怒。盡奪其算。罰入九幽之獄。萬劫不許超升。天宗醒。告家人大呼曰：『悔無及矣』。遂吐血而死。遺有二子。長歪嘴斜眼。形如鬼類。次子瘸腿折臂。廢疾無用。不數年而家蕩然矣。

壽數減盡 譜誣

合州都吏孫亮。一日見冥吏來追。亮曰：『相者謂我壽七十三。今方六十二。豈誤追耶。」吏曰：「汝有陰譴者三。故減十一。年耳。郡人馬清訟婚事理直而汝曲之。減三年。吏人孫侑無罪。汝欲取悅於太守。譖而撻之。又減三年。汝從母怒汝。汝推之仆地。又減五年。今已盡矣。」亮無以對。遂卒。

奪算盡矣　姦貪

宋奉符令錢若愚。蚤歲補官。姦貪狠愎。晚益迍蹇。子女淪喪。觸目無聊。因投詞龍虎山祈禱。夜夢神責之曰：「汝心行俱虧。奪算盡矣。尚何禱為。」未幾卒。

天譴失子　矯情

太倉王文肅公居鄉。素矜飭。痛子夭亡。祈夢於于忠肅廟。夢忠肅曰：「汝記否一名帖害二十七人命否。」公惘然。蓋前有巡道某。

誤報海商爲盜。衆憐其寃。求公一刺解救。公不允。二十七人皆拷死。公至是大悔曰：「吾聞羅念庵解官歸。道過蕪湖。與關使項東甌有舊。賈人楊姓者犯重辟。願餽千金求解。念庵力拒之。既而思曰：『此賈不生矣。』乃貽書東甌。潛爲解之。賈竟得釋。吾此事不及念庵遠甚。然本意止欲養高。不謂陰羅天譴。」可見方便之事。力能爲者。當隨在行之。不可避嫌矜節。見善而不爲也。

（五）定數篇

財數註定（一）

四川張御史語所親林繼曾曰：「予昔按雲南時。夜獨坐。有朱衣人現前曰：『某爲公守藏神。待公久矣。』予曰『金何在』神指座下。視之。果有白金千兩。因語神曰：『御史豈得攜此。』神曰：『願得鄉貫帖送至公家。』予書焚之。神遂隱。比復命。同年某托薦一官。强納二百金。歸而夜禱。前事神復至。僅存八百金。問其故。曰：『某同年金是也。』悚然愧謝。

財數註定（二）

明天啓中。縣令王某赴任。宿郵亭。夜將半。有緋衣人至前曰：『某守錢神。待君久矣。今可攜去。』令曰：『幾何。』曰：『萬金。』令曰：『路遠。攜行不便。歸當來取。』及抵任。恣意婪贓。復得萬數。以爲藏金足供用也。浪費殆盡。任滿。復至亭中。緋衣人曰：『前金已取盡。』請辭。令曰：『未也。』曰：『某日受某人餽若干。某日勒詐某家若干。總在此數。』令無言。自思宦槖已罄。而藏金復空。前途何以自給。遂鬱鬱客死。

財數註定（三）

隋末江都亂。有太原書生闖入官庫。見錢數百萬。欲少取之。一金甲神持矛逐曰：「此尉遲公錢也。汝欲得之。可取公名帖來。」生遍訪無尉遲姓者。訪至鐵冶中。見敬德蓬首袒露。方為人煆煉。生拜之。公問故。生曰：「欲向公乞錢五十千。以周困乏。」公怒曰：「打鐵人安得錢。」生曰：「公若見憐。但賜一名帖足矣。」遂書曰：「錢付某五十千。」某月日書名於上。觀者皆笑其妄。生持帖至庫。金甲神使繫於梁。如數取錢去。後敬德佐唐有功。賜錢一庫。內缺五十千。將罪主者。忽於梁上得帖。乃鐵冶中所書也。驚嘆累日

財數註定（四）

范文正公讀書長白寺。偶掘地見金一窖。急瘞之。告主僧曰：「吾

他日當修此寺。』及公爲西帥。僧使徒謁之。公一無所助。惟書一封茶一籠。僧歸拆書。則云『殿後有金一窖。』如言發之。得銀四萬二千餘兩。因以修寺。復以餘銀建范公橋。後公入相。所得俸。適符其數。

財物有主（一）

趙生。故宋宗室子也。家貧。居閩之深山。業薪自給。偶伐木溪滸。見一巨蛇。章質盡白。尾之。行數百步。入一巖穴中。就啓之。得石。石陰有字。乃黃巢手瘞。治爲九穴。中穴置金甲。餘皆黃白也。生取其零復揜之。自是家饒。不事採薪矣。其姊夫爲吏。知其事。白之官。生不獲已。投一巨室。告以穴處。巨室遂廣行賄賂。時帥府委福州路一官廉之。巨室獻以金甲。其事乃寢。路官得甲。珍襲備至。一夕。聞繞

楊風雨聲頃刻而止頗怪之起視扃鑰如故及啓笥已失之矣

財物有主（二）

嘉興一賈人積數百金貯磁甕壓以金釵二股瘞地中爲其子窺見竊發之甕內惟清水一泓以手攪之無物遂封蓋如故後賈人發甕取金其數不減而次置顛倒問其妻曰「吾瘞金誰發耶金釵在上今反在下何也」其子因自言狀舉家駭絕

財難強求（一）

崑山塾師楊姓者坐於門見一少婦過墜銀簪於街石上鏗然有聲伺其去逼視之止一蚯蚓在石罅間踟躕良久一客至俯拾之楊老呼曰「是我簪也」客知其僞徑去楊老牽其衣不釋客乃取銀二分與之曰「老者休纏以此沽酒買魚作一夜消可也」

楊老遂買魚一尾酒一壺置棹上令其媳烹魚忽隣猫來攫之去媳以杖撲猫因覆其酒而壺與盛魚器俱碎焉聞者憐而笑之

財難強求（二）

雲間李紹文曰東鄉一人結草囤爲生年六十餘向來積銀八錠每錠三兩以紅紙腰封藏之床脚下忽夢皂隷八人告別曰「我等要到東邊新造屋之家去」旦視銀已亡矣此老卽至造屋之家訊之主人云『果有』欲分其半還之此老堅辭主人乃潛置一錠於上梁饅頭內以餽此老此老不知取以易糖賣糖者亦不知擔至新造屋門首主人見之問所從來仍以錢五文買之由此觀之富貴貧賤榮枯得失莫非有命愚人終日奔競亦何益之有哉

財難強求（三）

湖州儀鳳橋宣氏兄弟三人。宣大稍樸實。二弟則儇劣。俱貧甚。其所居地價不値十金。鄰有倪知縣宦歸。欲展拓堂室。乃以百金買之。三人均分焉。宣大買田務農。僅足溫飽。宣二羅荳過太湖。舟覆死。宣三則發狂病。持刀殺人。舉火燎闤闠。執諸官箠撻幾斃。歸復如故。衆以鐵鍊繫之橋柱。其妻徧禱神祠禳禱。復請巫師至家。宰牲遣祟。破費狼籍。視床頭所得金已罄矣。而橋上人豁然醒。人問之。曰：「不知也。」

財難強求（四）

厲子元幼年遇一星士推算曰：「此命只合粗衣淡飯。打熬一生。家業若過百金。必遭橫事。惟死後方行美運。較生前大有光彩。」厲曰：「人既死矣。行何美運。雖有光彩。何益於己。」怏悒而去。自是雖竭力經營。總不出百兩之數。一日有販故衣客云「其母死。立等回鄉。現存貨物約值二百餘金。情愿減價出脫」厲利令智昏。遂忘星士之戒。以五十金買之。轉賣得利三倍。豈知客係大盜。事發被獲。追取原贓。厲受刑責。繳價方無事。從此一貧徹骨。與妻灌園度日。忽鋤地得石板下有六巨甕。皆白鏹。夫婦大喜方欲取之。戰慄手輭。神魂俱失。只得將石板蓋上。照舊掩土。是夜夫婦同夢神語曰：「甕中之物。乃攀柱所有。爾何得擅動。小心看守。二十年後。自有好處。切勿輕洩於人。戒之戒之」。後厲妻臨產三日不下。手攀床柱乃得生子。遂取名攀柱。燃指二十年。夫婦憶神語。偕子往園揭板。白鏹如故。向之戰慄手輭者。今竟安然無事。陸續運回。買房治地。遂成富室。夫婦命薄。不能消受。未及期年。相繼而歿。

攀桂顛孝殯殮葬祭靡不從豐星士所謂死後方行美運於此始驗由是觀之子之財未至其時父尚不能有何況他人彼營營逐逐以求分外者可憬然悟矣

享用有定

明太學生二人同年月日時生又同年發解又同日授官一教授黃州一教授鄂州未幾黃州死鄂州聞之處分後事以待越數日無恙因往弔且祝曰『我與公生年月日時同出處又同今公先我而去我即死已後公七日矣若有靈宜托夢以告』其夜果夢云『我生於富貴享用過豐故夭公生於寒微未嘗享用故壽也』鄂州由此益自刻苦歷官典郡

鬼弄貪商

臨安沈一性最貪市酒錢塘門外一日將二鼓湖中泊一大船鼓吹喧闐有貴公子五人錦袍花帽挾姬妾十數輩登樓暢飲沈見其舉動不凡知爲五通神也叩求曰『得遇尊神一生遭際願求小富貴』客笑曰『汝何求』沈曰『市井小人有何他望但求多賜金銀足矣』客曰『不難』呼從者耳語去少頃負一巨囊至授之謂曰『抵家再開視此處不可洩露』沈拜受捻其中纍纍皆酒器也大喜過望急攜入城又慮有聲爲門者般詰覓一大錘悉隔囊搥匾抵家天方曙大聲呼妻曰『我得橫財矣』妻曰『且莫說橫財昨夜吾家櫃中似有搬運聲恐有賊至今尚未安枕可啓視之』既啓則酒器首飾盡烏有矣再開囊視之皆櫃中物也夜來搥損俱爲廢器召匠修整復費數十緡沈大懊恨而已

邪財不富

正德時。崇德人胡應圭與陸一奇朋誘宦裔賭。覆其家財之半。後胡瞎一目。陸跛一足。日費療治。所得俱盡。仍爲窶人。

冒祿不享

定州州判態佐爲官平常。其子態北原爲冢宰。州人邱某以例貢將謁選。乃爲州判立去思碑。求文勒石。摹榻萬本。獻媚冢宰。爲媒進計。及抵京一病而卒。適同鄉施某以候選寓京。亟以微價購得之。遂持以獻熊公。大喜。許以佳職。未幾北原以事去。代者至。施就選。僅得雲南吏目。失意罷歸。夫爲其父立不朽之名。爲之子者。孰不喜之。邱之計可謂巧矣。詎料年之弗延。乃爲他人所有。施某不勞不費。坐得其物。自以爲莫大之幸。美選可唾手而得。乃竟不可

得噫命也何如

功名註定（一）

見聞紀訓云：范藻軒先生少英俊，有文學名，父兄輩以遠大期之。一夕其母夢人報先生中舉，須臾鼓吹旗纛道送一彩幛至其家，懸諸壁中書一兵字如車輪大，諦視之則漸縮而小，覺以語其父，父曰：「吾兒當必爲司馬掌兵政」。又一夕父亦夢人報曰：「爾子授官矣」。亟趨視榜見先生名下，註指揮二字，覺而曰：「文官安有指揮，得非官總制，以指揮三軍之兆耶，又與兵字夢相合」。心益喜，其後先生累試不捷，竟由歲貢選南京兵馬司指揮，而夢始驗。

功名註定（二）

龍西溪在京。同年某行人過之曰：「我欲避湖廣差。暫註門籍。」西溪曰：「湖廣非險遠。尊公在里。便道省親。豈不善哉。」行人曰：「聞冢宰將選科道。若承此差。不得與選。我姑避之。有陽子山當行耳。」西溪曰：「君自作計。非吾所知也。」行人竟註門籍。未幾吏部即開選。勢不可即出。陽子因得應選。為吏科給事某。行人撫膺。自恨而已。

攘名難享

寧波王錄。臨貢其次為李循謨。李多智術。百計攘得之。王不與較。李入京就選。夤緣入嚴嵩門。求順天府學司訓。嵩諭意銓曹許之。于是揚揚自得。未掛榜前。忽縱步入順天府學。登其堂。窺其衙齋。夫輩異其舉止。呵之。大聲罵曰：「吾不數日當坐此堂。鼠輩敢無狀耶」齋夫羣譁于吏部前。語聞選司大驚。亟易以廣西小縣學。李怏怏而去。未幾竟卒。明年王應貢就選。却得順天府學訓導。

名難強求（一）

魏徵爲僕射。假寐閣中。有絫隨二吏。在簾外閒評。一曰：「我輩官職。悉由此老翁。」一曰：「總由天。」公微聞其語。遂作書付言由老翁者。送銓部。書內略云。「與此人一美官。」其人不知也。接書出門。忽心痛。乃倩言由天者賫去。銓部問其姓名。卽注補近職。而言由老翁者。聞知其事。益怏怏自恨。公怪而問之。具以實對。公憫然曰：「由天之說。非妄也。」

名難強求（二）

南昌李孜省以邪法寵於明憲宗。位太常卿。時有御史按江右。孜省餞之。以壻龔正弼爲託。故事。各省秋試臨場時。按院有堂考。遂取正弼爲首。實爲中榜地也。至頭場。正弼不至。偏索不得。始封門。三場畢。正弼踉蹌歸。人問之。曰：「初欲入場。恍有人引至城隍廟像後。凡禱祀者。我皆見之。但口噤不能言。足痿不能行。今始得歸耳。」及孜省敗。龔竟無成。

名難強求（三）

唐王顯與太宗有舊交。既登大寶。召其三子。皆授五品官。不及顯。諭之曰：「卿無貴相。朕豈爲卿惜。」顯曰：「朝貴夕死足矣。」房玄齡勸帝曰：「何不試與之。」因授三品。賜金紫。是夕卒。

附堪輿類

不泥忌諱（一）

太原王洙言向有一宦者病其家數世未葬。急買地一方。自祖考至功緦之親。悉依昭穆。以次葬之。俱無歲月日時陰陽忌諱。與營穴之法。人皆訝。其太易。謂禍且不測。乃歲中竟遷官。秩。家益昌盛今人稽留葬地。動輒逾紀。邀求不可知之福。於祖先遺骸。眞罪人也。至於前人已葬之地。無論親疏賢否。萬萬不可毀掘。掘而見屍必有奇禍。否則貽害子孫。若出兵主將。能嚴禁士卒。勿平人塚。勿發人棺。勿伐人護墳樹木。功德尤大。

不泥忌諱（二）

劉機父卒。家人泥陰陽言。各以生時與葬時相值。久不克葬。公獨曰：「願以某生時所值葬父」。於是力葬之。公後官至大司馬。贈宮保。

神示佳穴（一）

福建莆田林氏之先，宇用，賓名觀者，遇異人指一佳地，曰：「葬之，公卿盛於麻粟。但君福德末足當此。」林曰：「吾則德薄福淺，若得此地，與宗族共之，豈無一二足當之者。」異人曰：「即此一念，福德厚矣。天道必祐，地理必應。」遂指穴授之。公取族二十四骸與其親偕葬焉。後生子元美，登進士，孫瀚，曾孫廷昂、廷機，元孫爜，俱官至尚書。

神示佳穴（二）

漢袁安按獄，仁恕，楚王英案，出無辜者四百餘家。父歿，母使安訪葬地，道逢三書生，指一處，云：「葬此，當世為上公。」須臾不見，遂葬其所。後世爲公卿。

神示佳穴（三）

建甯揚少師榮祖父皆以濟渡爲生。每久雨溪漲。衝毀民居。溺死者順流而下。他舟皆撈取貨物。獨少師曾祖及祖惟知救人而貨物一無所取。鄉人共笑其愚。逮少師父家漸裕。有神人化爲道者語之曰『汝祖父有陰功。子孫當貴顯。宜葬某地』遂依其所指葬之。卽白兎墳也。生少師弱冠登第。位至三公。加曾祖父皆如其爵。子孫貴顯。

觀少師發詳之所。係神人指示。知風水之說不可不信矣。觀少師祖父必如此積德。而後始遇此善地。又知風水之說不可徒恃矣。昔林達謀佔吉壤子死身亡。沈寵立掩遺棺。麟兒殿狀。故曰地理惟憑天理。福地不如心地。

佳穴不享（一）

昔有某令者。湖北人。官湖南知縣。聲名甚平常。其長子秋舫登巳卯大魁。典試廣東。次子大雲旋亦以翰林典試廣西。兄弟先後皆請假省親。到湖南任所。人咸豔之。大吏因是亦重視某令。隨擢用爲州牧。或有疑其報應之或爽者。旋聞其幕中老友云『令曾於某任內。得教匪聯名册。私焚之。終不上聞。蓋活人多矣。此所以報歟。』後某令亦恣肆。大吏廉其實。於計典黜之。旋里後。有堪輿家告以祖墳有水。某令以鐵籤試之。水果旁湧。擇期改葬。甫啓石門。熱氣薰蒸。有二紅魚躍出。始悟吉穴。一魚倐不知所往。一魚爲石壓死。悔之無及。某令目旋雙瞽。無何得都中信。知秋舫以覆車驚悸而卒。計其日正啓墳時也。時大雲以御史奏直隸水利事。奉命馳驛往勘。沿途作威福。有呵斥道廳之事。蔣礪堂制府以狀上聞。坐此罷廢。其家驟落。夫同此一人一家之事。乃始以種德而其應

如響旋以怙惡而不獲令終

佳穴不享（二）

清道光初閩侯官令張姓者湘陰人其父本充縣役嘗語人曰：「公門中好修行吾儕隨事皆可造福也」一生平喜爲人解紛不肯逼人於險人咸稱爲張長者因解犯至省垣卒卽葬於城外官山地勢低窪每春夏月必爲水潦所浸家本貧不能起遷聽之而已後其子某由科目出身又以此爲吉穴不肯起遷及作令于閩聲名狼籍不恤人言宦橐既充卽遣所親旋楚將先墓之周圍用土塡高以免水患乃不數月遽以不謹被劾去官其鄉人頗疑爲修墓之故或曰『其地本點魚穴得水則活水涸則死耳』時陳楓階攝令湘陰聞之慨然曰『一胥役而行善遂得貴子一邑宰而

貪墨不免失官天道無私如此人不察天心之所在而徒嘵嘵於地理豈非愼哉

神奪佳穴（三）

歸安仰思忠精風水六合尹林克正延入福建其姻某氏亦欲葬父探幽涉險得一地甚佳方點穴間雨驟至遂下山是夜思忠夢一老者曰「此地切勿與之此人爲考官賣三舉人當有陰禍若葬此間法當榮其子孫非天意矣」遂覺思忠因問克正曰「昨大尹公宦業何如」曰「他無所短長但聞爲考官時得賄甚多鄉評少之」思忠惕然內警託故辭歸越二三年問其鄉人則某氏與勢家爭坟地致傷人命官司牽纏至今未葬家業亦已凋落矣當時思忠每言及此輒嘆云人之素行不可玷福地不易得而

冥報之說不可不信由此觀之陰地之吉凶未有不以心地爲本者也

國家圖書館出版品預行編目資料

命相真諦／（清）陳鏡伊編
-- 初版 .-- 臺北市：
世界，2015.08
面；公分． --（道德叢書；12）

ISBN 978-957-06-0538-9（平裝）
1. 命相 2. 通俗作品

199.08 104014623

世界書號：A610-2170

道德叢書之十二
命相真諦

作者／（清）陳鏡伊編
發行人／閻初
發行者／世界書局股份有限公司
登記證／行政院新聞局局版臺業字第〇九三一號
地址／臺北市重慶南路一段九十九號
電話／（〇二）二三一一一三八三四
傳真／（〇二）二三三一一七九六三
網址／www.worldbook.com.tw
劃撥帳號／〇〇〇五八四三七 世界書局
出版日期／二〇一五年八月初版一刷
定價／台幣一六〇元
道德叢書全套十四冊，定價二四〇〇元